작고 예쁜 수채화

작고 예쁜 수채화

-가이드북-

초판 1쇄 발행 2021년 04월 01일

지은이 미아(이혜란) | **발행인** 백명하 | **발행처** 도서출판 이종
출판등록 제 313-1991-16호 | **주소** 서울시 마포구 양화로3길 49 2층
전화 02-701-1353 | **팩스** 02-701-1354

편집 권은주 | **디자인** 오수연 | **마케팅** 백인하 신상섭 이현신

ISBN 978-89-7929-327-2
ISBN 978-89-7929-329-6(set) 14650

* 책값은 뒤표지에 표기되어 있습니다.
* 도서출판 이종은 작가님들의 참신한 원고를 기다리고 있습니다.
* 이 도서는 친환경 식물성 콩기름 잉크로 인쇄하였습니다.

미술을 읽다, 도서출판 이종

WEB www.ejong.co.kr
BLOG ejongcokr.blog.me
INSTAGRAM @artejong

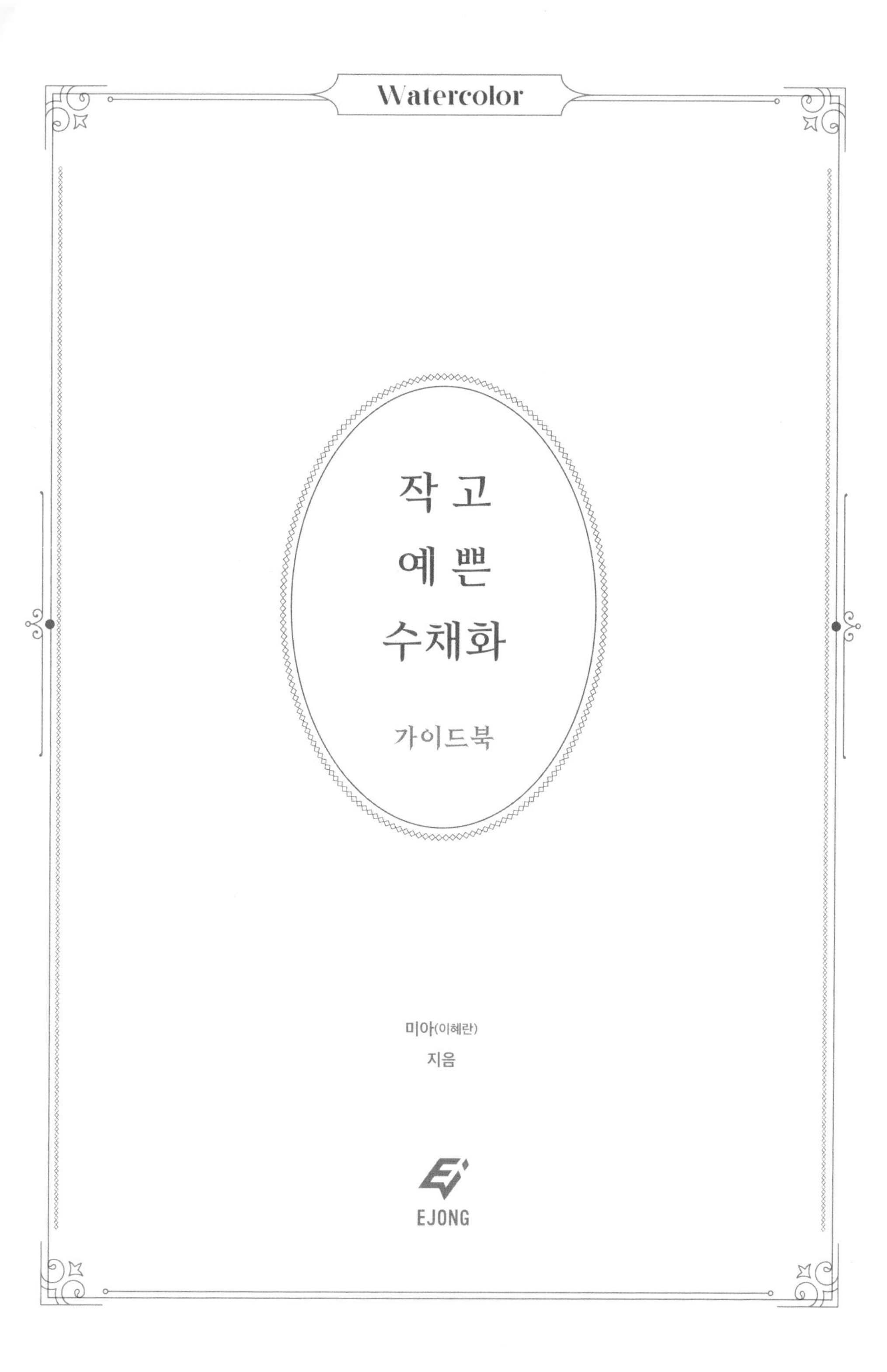

Watercolor

작고 예쁜 수채화

가이드북

미아(이혜란)
지음

EJONG

작아서 그리기 쉽고,
예뻐서 그리고 싶은 수채화

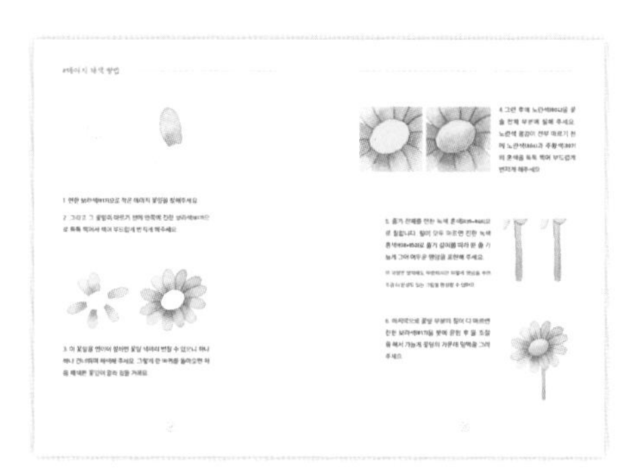

쉽고 자세한 수채화 기초

『작고 예쁜 수채화_가이드북』에는 꽃, 풀, 과일과 채소 등 120여 개의 자연물 소재를 5cm x 14cm의 책갈피 사이즈의 작은 종이에 수채화를 그리는 법, 팁 등을 쉽고 간단하게 알려줍니다.

완성작과 사용한 색, 혼색 예를 참고하여 분권되어 있는 『작고 예쁜 수채화_컬러링북』에 색칠해 보세요!

혼색 예시를 보며 간단하게
색을 혼색해볼 수 있어요!

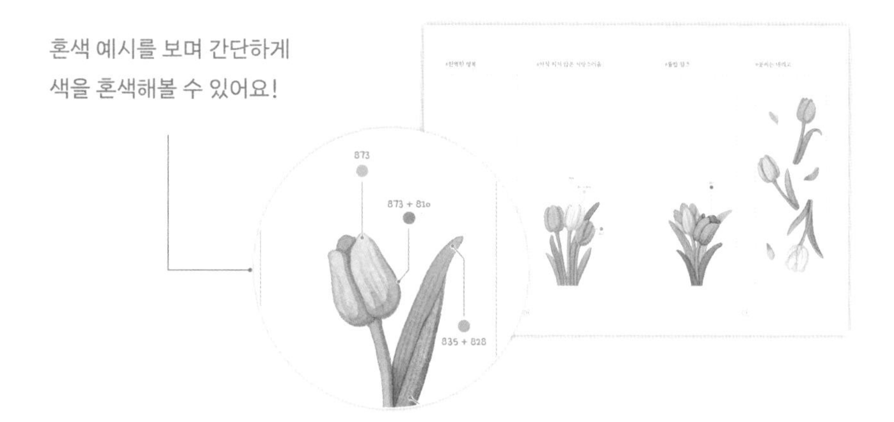

쉽게 뜯어지는 제본!

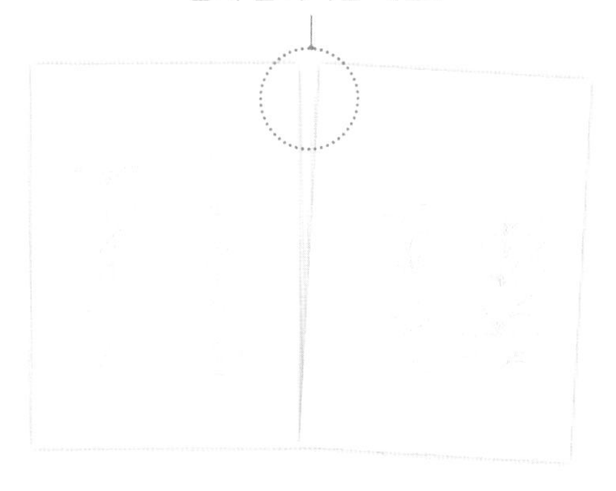

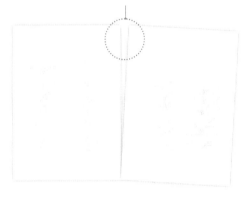

컬러링북과 함께 작고 예쁜 것들을 그려요

『작고 예쁜 수채화_컬러링북』에는 가이드북 속 도안이 동일한 사이즈로 들어 있어 가이드북의 완성 예시를 보며 바로 채색해볼 수 있습니다. 수채화로 채색하기 좋은 도톰한 두께의 고급 종이(아코프린트)로 구성되어 있어 완성도 높은 수채화를 그려볼 수 있습니다.

작고 예쁘게 간직하기

뜯어 쓰기 편한 제본으로 되어 있어 낱장으로 뜯어내 보관하거나 장식해도 좋고 도안의 테두리 선을 따라 조심조심 잘라내 오른쪽 예시 사진처럼 예쁜 책갈피로 사용해도 좋아요!

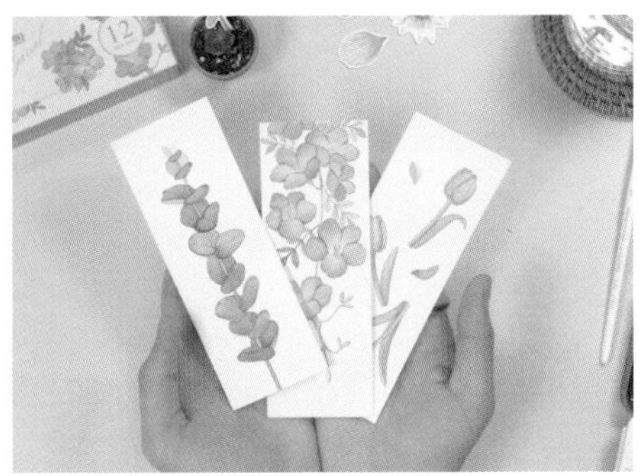

목 차

미리보기

작고 예쁜 수채화

들어가며

인생에서 혼자서 소중한 시간을 가질 수 있었던 일은 저에게 너무 큰 행운이었어요. 아무와 연락하지 않아도 되고, 아무를 만나지 않아도 되고, 아무것도 하지 않아도 되고, 아무 생각도 필요치 않았던 순간에 내 가장 사랑하는 그림을 그리며 그리는 것들을 사랑하게 되었죠. 꼭 하지 않고는 견딜 수 없는 게 내게도 있을까, 내 감정과 기분을 꺼내놓을 수 있을까...

가장 사랑하는 제 그림을 보여줄 수 있게 되어 행복합니다.

이 책에 당신의 모든 아름다운 계절이 담겨있길 바랄게요.

Chapter.1

작고 예쁜 수채화 시작하기

함께 그려나갈 도구들

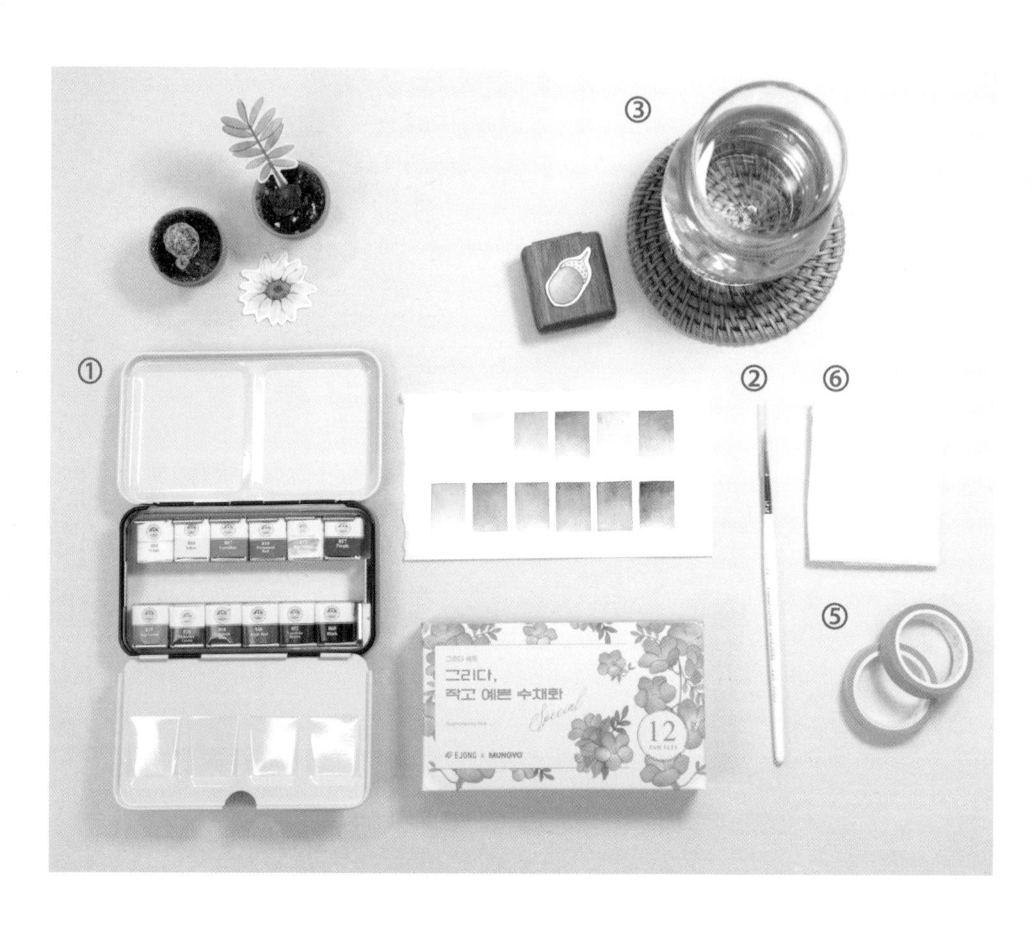

1. 수채화 물감

이 책에서는 단 열두 가지의 색의 물감만 사용해 그릴 거예요. 색이 부족한 것 같나요? 여러분이 생각하는 것보다 더 많은 풍부한 색들이 열두 가지의 색 안에 전부 담겨 있어요.

2. 붓

붓은 조금은 작게 느껴질 수 있는 2호 붓 한 가지예요. 작은 그림을 그릴 때에는 작은 붓 하나만으로 충분해요. 종이에 속삭이는 붓 소리를 들어보세요.

3. 물통

제 물통은 집안 어디엔가 굴러다니고 있던 입구가 넓은 빈 유리병이에요.

4. 마스킹 테이프

테두리 부분까지 꽉 차는 그림을 그릴 때 마스킹테이프를 테두리에 붙여 놓고 그리면 깨끗하게 작업할 수 있어요.

5. 티슈

붓에 묻은 물의 양을 조절할 때나 붓이 깨끗하게 씻겼는지 확인하는 용도로 사용해요.

이 책에 사용한 색상

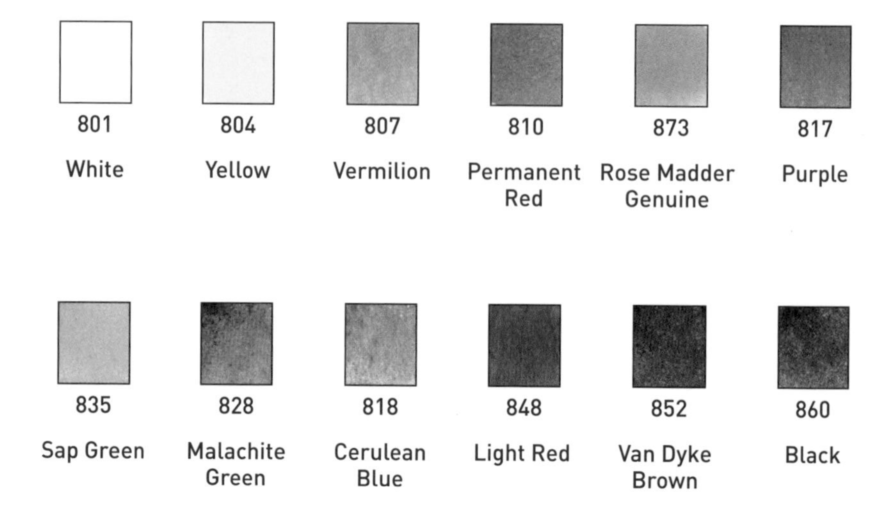

801
White
804
Yellow
807
Vermilion
810
Permanent Red
873
Rose Madder Genuine
817
Purple
835
Sap Green
828
Malachite Green
818
Cerulean Blue
848
Light Red
852
Van Dyke Brown
860
Black

물 조절

널찍한 접시를 하나 준비하세요. 아무것도 없는 하얀 접시면 더 좋아요. 수채화는 물로 농도 조절을 해요. 물감에 물을 조금씩 더해가면서 같은 색이지만 물에 따라 색의 느낌이 변하는 걸 확인해 보세요. 단, 채색 전엔 꼭 흡수패드나 티슈 등으로 붓의 물을 조절해 주세요!

색을 만드는 법

한 가지 색으로 얼마나 많은 느낌의 색을 만들어낼 수 있는지 아나요? 물을 많이 섞으면 물빛이 듬뿍 나는 색을 만들 수 있고 물감을 많이 섞으면 단단한 그 색만의 느낌을 만들 수 있어요.

[번지기]와 **[겹치기]** 딱 두 가지 기법으로 수채화를 시작할 수 있어요. 저도 그렇게 그렸어요. 함께 해보세요.

#번지기

우리가 함께 그려볼 작은 꽃들과 소품들을 붓 자국이 남지 않게 작업해 볼게요. 이 번지기 기법은 서로 다른 색끼리 사용할 수도 있고 비슷한 색끼리 사용해 볼 수도 있어요. 이 책에서 가장 많이 사용할 기법이기도 해요.

가장 부드러운 번지기가 될 때까지 여러 번 연습해 볼게요.

1.

먼저 채색할 면적에 맑은 물을 칠해주세요. 물 칠은 스케치 선 안쪽으로 약간 들어온 지점까지 해주세요. 이때 물이 출렁출렁 넘쳐나지 않도록 얇게 한 겹만 칠해주세요.

혹시 물이 너무 많다면 물을 붓으로 다시 빨아들여 주세요. 그런 후에 티슈나 천에 닦아주면 돼요.

②

2.

칠한 물이 마르기 전에 스케치 선에 맞추어 물감을 펴 발라 주세요. 이렇게 물을 한 겹 발라두면 진한 곳이나 연한 곳 없이 고르게 번져 나갈 거예요.

③

3.

앞에서 칠한 색이 마르기 전에 그보다 한 단계 진한 색을 톡톡 칠하며 자연스럽게 번지게 해주세요. 그러면 같은 색의 그러데이션이 만들어져요.

④

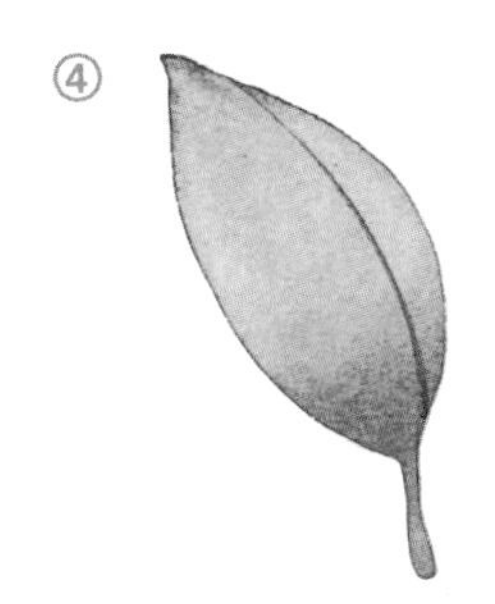

4.

칠이 완전히 마른 후 마지막으로 붓의 물기를 조금 빼고 연습 종이에 얇은 얇은 선 그리기를 연습한 후에 잎맥을 그려 넣어 주세요.

#겹치기

겹치기는 마른 후에 이미 칠한 색 위에 다시 한번 색을 올리는 것을 말해요.

이 책에서는 주로 어두운 부분이나 그림자 부분을 표현할 때, 그리고 잎맥을 표현할 때에 사용해 줄 거예요.

겹치기는 연습할 필요가 없지만, 잎맥 같은 묘사를 할 때를 대비해 얇은 선을 그리는 연습을 해 두어야 해요. 얇은 선을 그릴 때에는 붓에 물기가 많으면 안 돼요. 붓에 있는 물기를 휴지에 흡수시킨 후에 붓 모가 가지런하고 끝이 뾰족해지게 모아주세요.

붓 모가 뾰족한 상태가 되었다면 그대로 연습 종이에 서너 번 선을 그어 얇은 선이 나오는지 꼭 확인한 후에 화지에 그려주세요. 선은 매번 붓의 상태에 따라 다르게 나올 수 있으니 잊지 않고 연습 종이에 그어 시험해봐야 해요.

1. 먼저 채색할 면적에 맑은 물을 칠해주세요.

2. 물 칠한 곳에 스케치 선에 맞추어 채색을 해주세요.

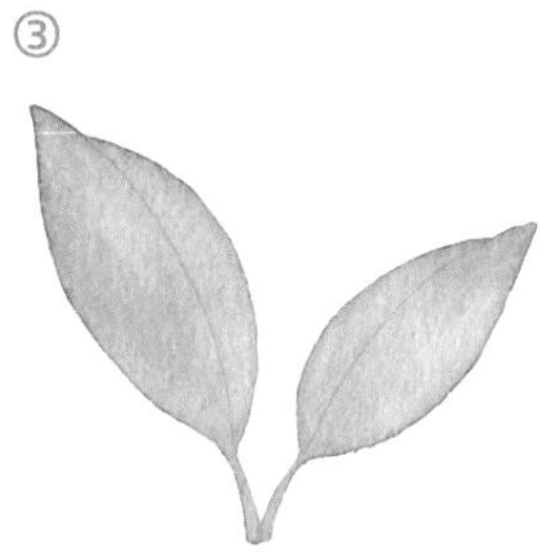

3. 앞에서 채색해 놓은 면적이 전부 마르면, 전 단계에서 채색한 색보다 한 단계 더 진한 색으로 명암을 넣을 부분을 채색해 주세요.

4. 칠이 완전히 마른 후 잎맥을 그려주세요.

빛을 담아내는 그림

밝은 것과 어두운 것은 그림에서 정말 중요해요.

밝은 부분과 어두운 부분을 구분만 해 주어도 그림이 살아나거든요.

①

②

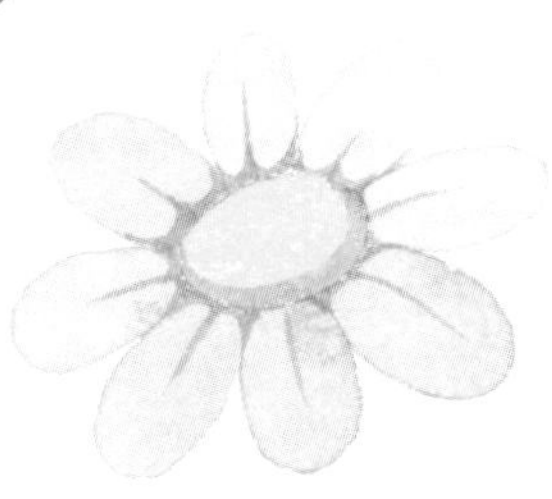

① 꽃을 보아주세요. 빛을 표현하지 않으면 꽃은 이렇게 단순한 색이 돼요. 그런데 빛이 왼쪽 위에서 오른쪽 아래를 향해 내려온다고 생각해 보세요. 그렇게 되면 빛과 가까운 부분이나 빛을 많이 받는 곳은 밝아지게 돼요. 그리고 반대로 빛을 적게 받거나 빛과 멀리 있는 곳은 어두워지겠죠. 이게 그림에서 말하는 명암이에요.

②의 그림은 ①의 명암에 따라 꽃잎과 꽃술에 어두운 부분을 넣어 주었어요. 너무 복잡하지 않게 딱 한 톤만 얹어주었는데도 꽃이 훨씬 생기 있고 예뻐 보여요. 빛이 어느 쪽에서 와야 하는지 너무 어렵게 생각하지 말고 빛을 정해 보세요. 내가 그리는 모든 그림의 빛은 왼쪽 위에서 내려온다고 정해 둔 후에 그림을 그리면, 쉽게 예쁜 그림을 그릴 수 있게 돼요.

#데이지 채색 방법

1. 연한 보라색(817)으로 작은 데이지 꽃잎을 칠해주세요.

2. 그리고 그 꽃잎이 마르기 전에 안쪽에 진한 보라색(817)으로 톡톡 찍어서 색이 부드럽게 번지게 해주세요.

3. 이 꽃잎을 연이어 칠하면 꽃잎 색끼리 번질 수 있으니 하나하나 건너뛰며 채색해 주세요. 그렇게 한 바퀴를 돌아오면 처음 채색한 꽃잎이 말라 있을 거예요.

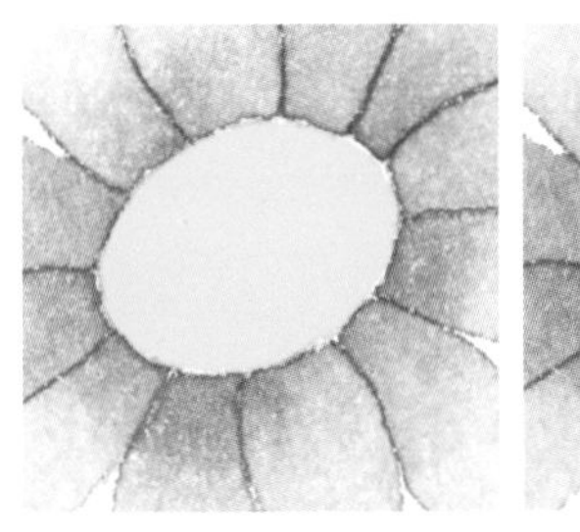

4. 그런 후에 노란색(804)을 꽃술 전체 부분에 칠해 주세요. 노란색 물감이 전부 마르기 전에 노란색(804)과 주황색(807)의 혼색을 톡톡 찍어 부드럽게 번지게 해주세요.

5. 줄기 전체를 연한 녹색 혼색(835+848)으로 칠합니다. 칠이 모두 마르면 진한 녹색 혼색(828+852)으로 줄기 길이를 따라 한 줄 가늘게 그어 어두운 명암을 표현해 주세요.

이 과정은 생략해도 무방하지만 이렇게 명암을 주면 조금 더 완성도 있는 그림을 완성할 수 있어요.

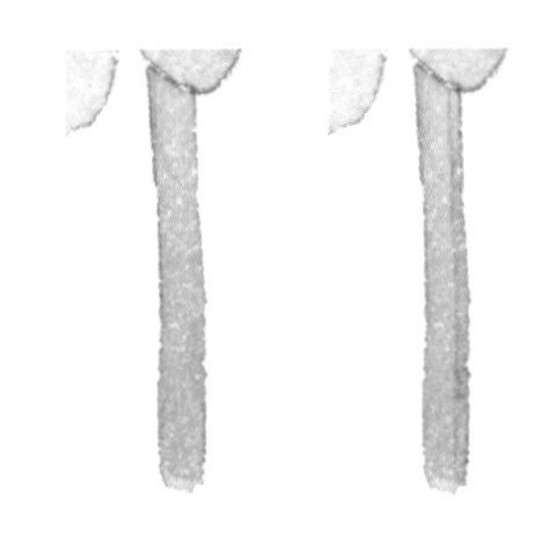

6. 마지막으로 꽃잎 부분의 칠이 다 마르면 진한 보라색(817)을 붓에 묻힌 후 물 조절을 해서 가늘게 꽃잎의 가운데 잎맥을 그려 주세요.

Chapter. 2

작고 예쁜 수채화 그려보기

1

가을 바람의 코스모스

코스모스의 가장 큰 특징은 가느다란 줄기와 잎이 전부 비칠 것 같은 투명한 느낌이에요. 검은색[●860]에 물을 아주 많이 섞어서 한 가지 색을 만들고, 그보다는 조금 더 진한 회색을 하나 더 만들어 주세요.

흰색의 투명한 코스모스 꽃잎이 꽃술 쪽으로 모이는 부분을 조금 진하게 표현해 줄 거예요. 코스모스의 꽃잎 하나하나에 미리 물 칠을 해주세요. 꽃잎의 가장자리 부분은 화지의 흰색으로 남겨두고 가운데 부분만 흐린 회색으로 톡톡 찍어주세요. 그리고 가장 안쪽에 진한 회색을 톡 하고 조금만 찍어 주면 꽃잎의 중앙 부분이 강조되어서 예쁜 모양이 될 수 있어요.

꽃잎들이 전부 바싹 마른 후에 흐린 회색으로 잎맥을 표현해 주세요.

코스모스의 꽃술 부분은 노란색[●804]으로 칠하고, 어두운 부분에 노란색[●804]과 주황색[●807]의 혼색을 칠해 명암을 살짝 표현해 주세요.

color pallet

801	804	807	873	817	828	860

#보랏빛 코스모스

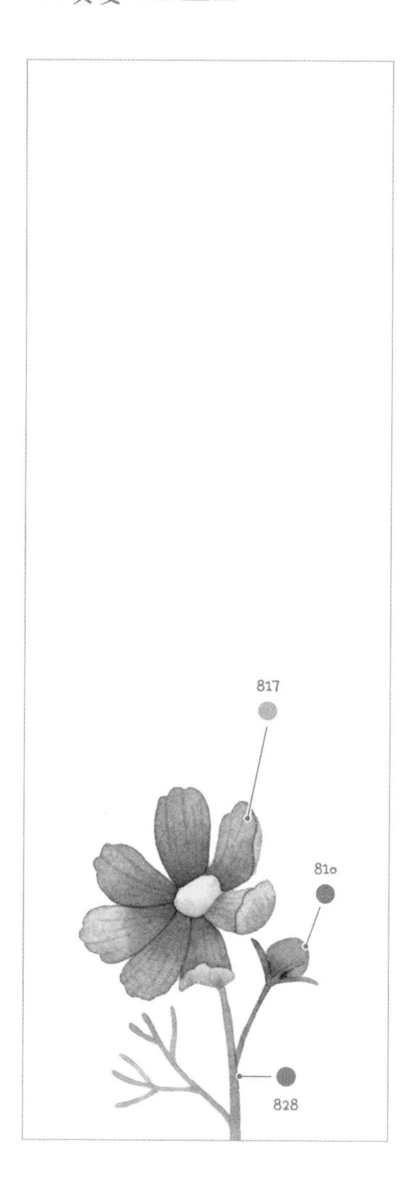

#순백의 코스모스

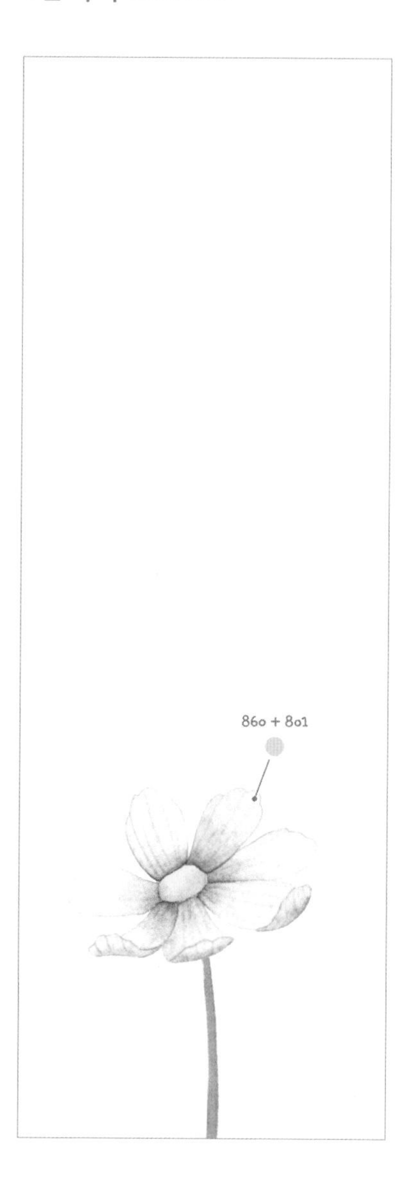

#분홍빛 코스모스

873

#삼색 코스모스 꽃다발

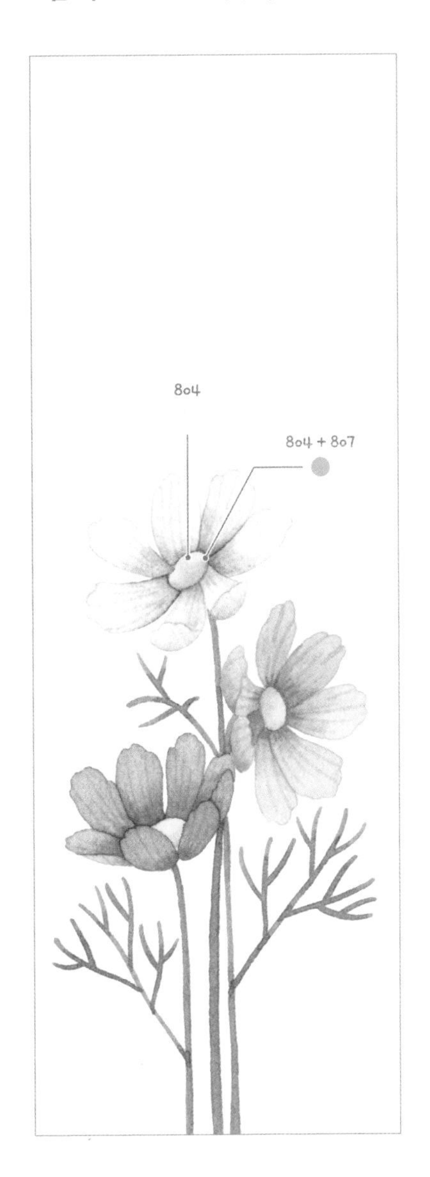

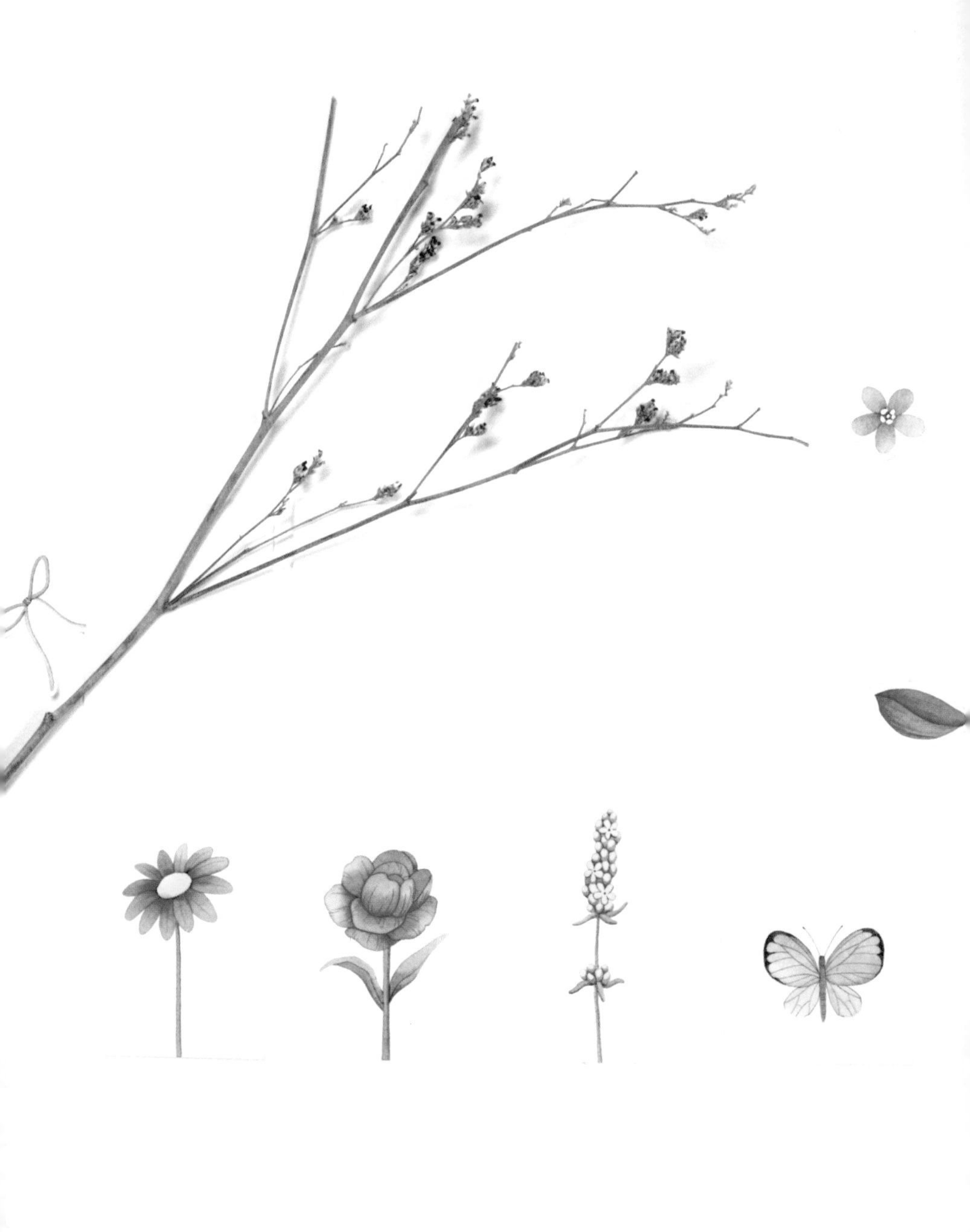

2

보라 보라한 꽃과 나비

#꺾이지 않는 희망의 데이지 꽃잎은 기본 보라색[●817]을 사용해 주세요. 혹시 같은 물감이 없어도 비슷한 색감의 보라색으로 칠해주면 돼요. 보라색[●817]에 물을 많이 섞어 만든 연한 보라색과, 같은 색에 물을 조금만 섞어 진한 보라색을 만들어 주세요. 꽃술은 노란색[●804]과 주황색[●807]을 사용해 칠할 거예요. 같은 색이 없으신 분은 비슷한 색감의 노란색과 주황색을 사용해 주세요. 노란색은 노란색[●804]을 그대로 사용하고, 주황색은 노란색[●804]에 주황색[●807]을 섞어 조금 더 부드러운 주황색을 만들어 주세요. 줄기는 연한 녹색[●835]과 연한 갈색[●848]을 섞은 연한 녹색의 혼색과 진한 녹색[●828]과 진한 갈색[●852]을 섞은 좀 더 진한 녹색의 혼색을 사용할 거예요.

자세한 채색 방법은 14쪽의 **'데이지 채색 방법'**을 참고하여 칠해보세요.

color pallet

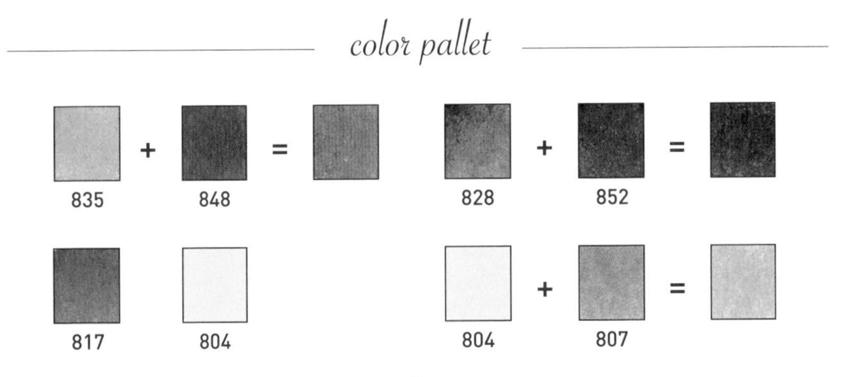

#꺾이지 않는 희망

#보랏빛 향기

#올망졸망 피어나는 꿈

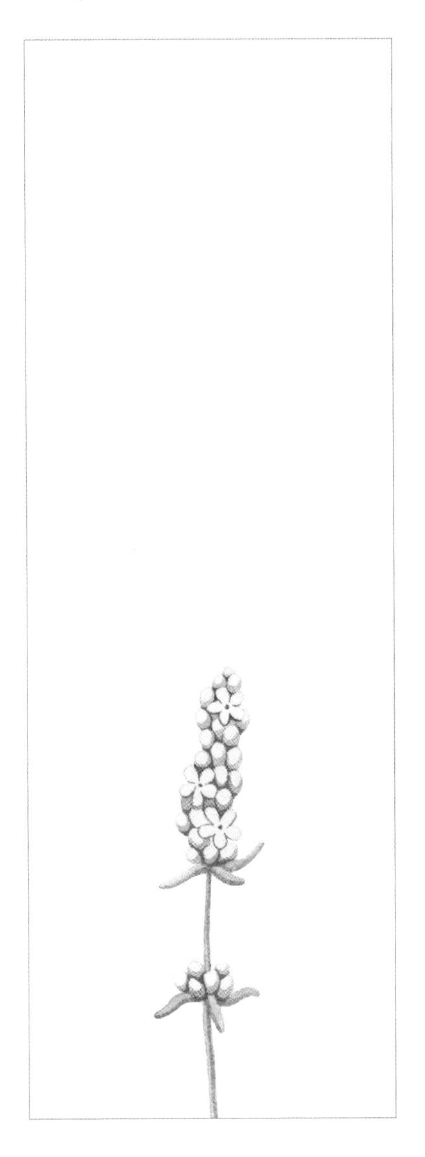

#꽃잎의 날개짓

3

여름이 오는 소리
능소화

능소화 꽃잎의 기본색은 주황색[●807]이에요.

그리고 능소화 꽃의 안쪽 부분에는 살짝 노란색[●804]을 사용해

번지기(14쪽 참고)로 칠해 주세요. 부드럽게 그러데이션 되도록 그려주세요.

능소화의 잎은 컬러 칩에 나와있는 색대로 줄기와 잎을 전부 한 가지 색으로

채색해 주세요. 잎과 줄기가 모두 마른 후에 잎맥과 줄기의 명암은 어두운

초록색으로 표현해 주세요.

color pallet

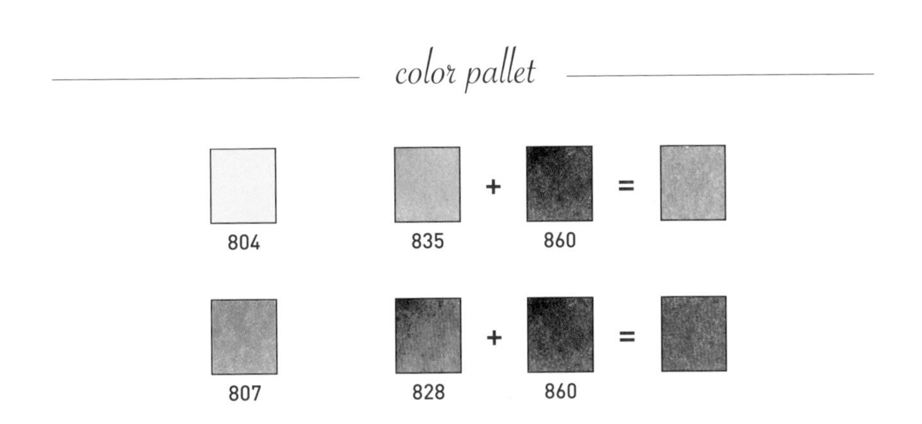

#여름의 화원

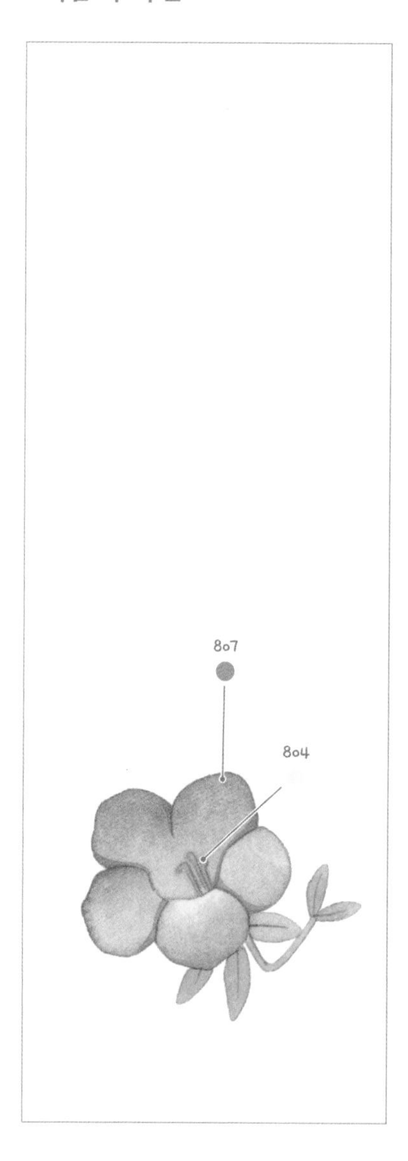

#꽃의 초상화

#우린 마치 하나처럼

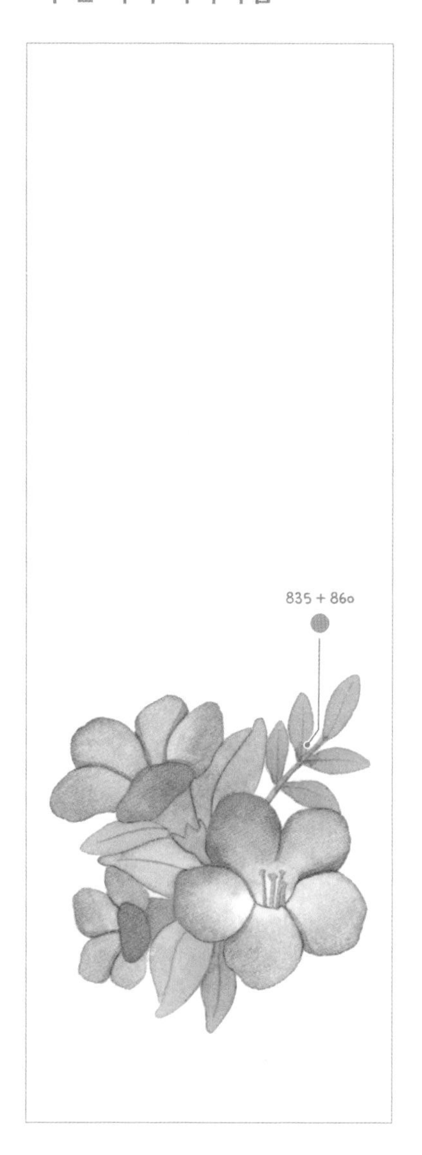

#향기의 덩굴

4

하늘하늘 양귀비

#잊히지 않는 붉은색과 **#마주 댄 등의 온도**의 양귀비에서는 주황색[●807]과 빨간색[●810]을 사용할 거예요. 빨간색[●810]과 보라색[●817]을 섞어 자주색도 만들어 주세요. 양귀비 꽃잎은 이 세 가지 색으로 번지기를 이용해 그려줄 거예요. 양귀비 꽃잎 면적에 맑은 물을 칠해 주세요.
그런 후에 주황색[●807]을 물 칠을 한 면적의 반이 조금 넘어가도록 채색해 주세요. 그리고 색이 마르기 전에 빨간색[●810]을 부드럽게 번져 나가도록 끝까지 채색해 주세요. 그리고 마지막으로 빨간색[●810]과 보라색[●817]을 섞어 만든 자주색을 꽃잎 끝부분에 톡톡 찍어 명암을 표현해 주세요.

color pallet

804 807 873

835 + 860 =

810 + 817 =

828 + 860 =

#잊히지 않는 붉은색

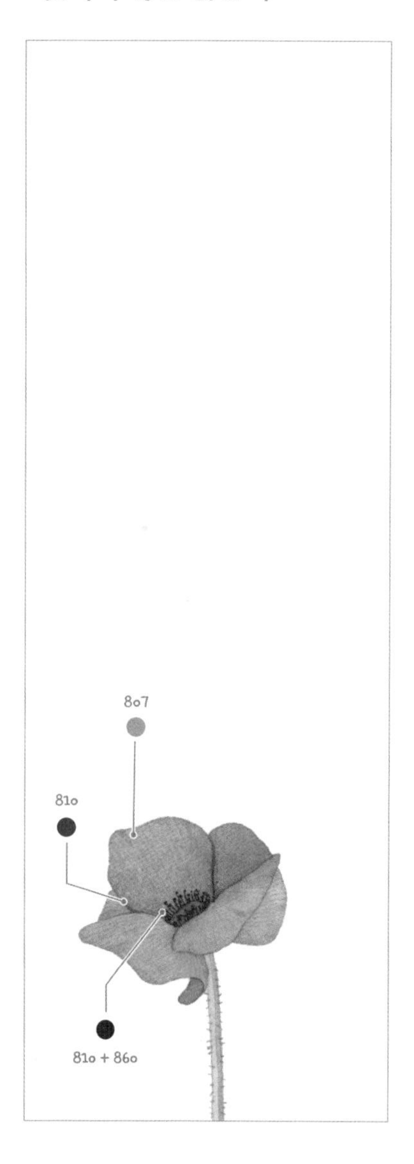

#마주 댄 등의 온도

#내 곁에 너

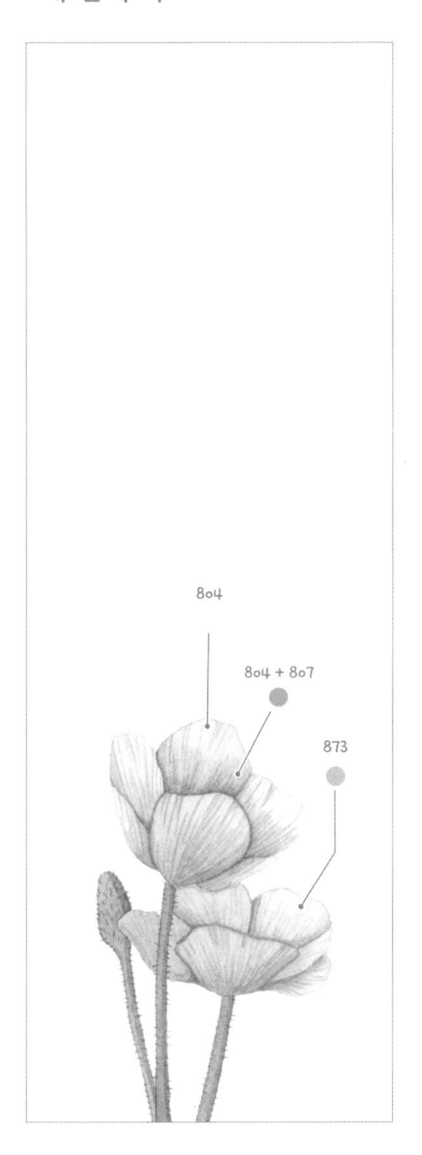

#마음 가득 따뜻함

S1212-2 SPAIN

5

해를 기다리는 해바라기

해바라기는 작은 꽃잎이 너무 빼곡해서 부담스러울 수 있지만,
그 많은 꽃잎을 하나하나 채색할 게 아니니 걱정하지 마세요.
꽃잎과 꽃술을 두 부분으로 나누어 채색한다고 생각해 주세요. 먼저 꽃잎 부분의 전체에 맑은 물을 칠해 주세요. 그런 후에 노란색[●804]을 전체적으로 채색해 주시고, 안쪽 부분에 물을 많이 탄 연한 갈색[●848]을 톡톡 찍어 번지기로 명암을 표현해 주세요. 이때 연한 갈색[●848]에 물을 많이 섞는다고 해서 붓에도 물이 많으면 안 돼요. 명암 표현을 위한 번지기(14쪽 참고)를 할 때는 붓에 물이 많지 않게 덜어내고 사용해 주세요.

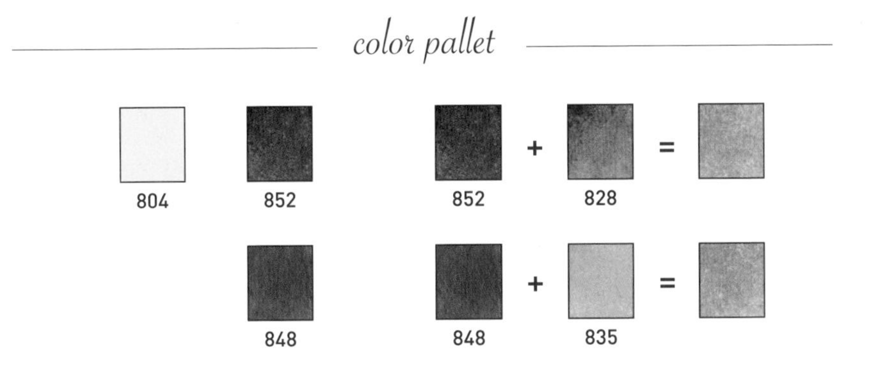

#햇님을 향해

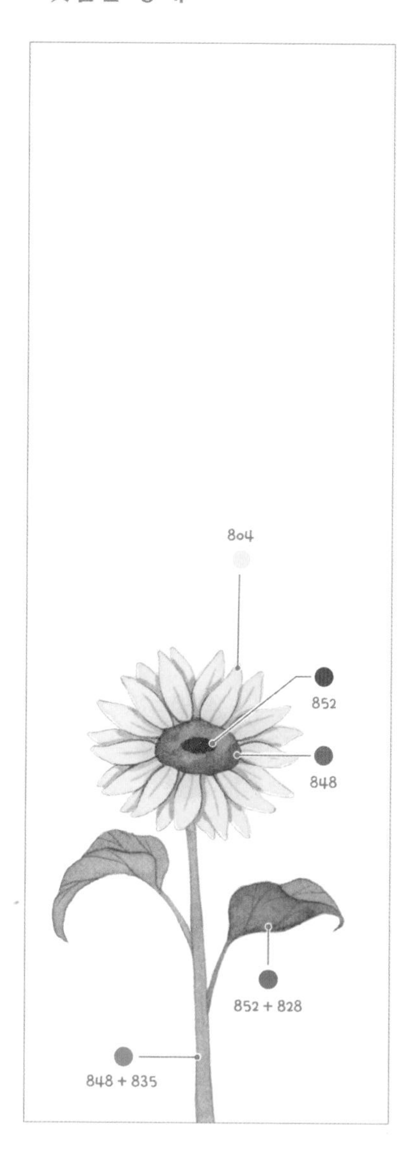

#교차하는 시선

Tip .

초록색 계열 색의 채도를 낮추고 싶다면 [848]이나 [852]를 약간만 섞어 주세요!

#활짝 핀 얼굴

#그대 먼 곳만 보네요

6

반드시 오고야 말 행복
메리골드

메리골드는 꽃잎이 여러 겹이라서 채색하기 부담스러울 수 있어요.
하지만 하나하나 차례대로 칠해주면 어려움 없이 완성할 수 있으니 조바심 갖지 말고 천천히 완성해 주세요. 꽃말처럼 반드시 완성이 될 테니까요.
메리골드의 꽃잎도 면적이 작아서 미리 물 칠을 하지 않고 그릴 수 있어요.
노란색[○804]과 주황색[●807]을 기본색으로 사용하고 노란색[○804]과 주황색[●807]을 섞어서 부드러운 주황색을 만들어주세요. **#상큼한 시작**에서 꽃잎에 기본적으로 사용한 색은 노란색[○804]과 주황색[●807]을 섞은 색 두 가지예요. 노란색[○804]으로 기본 꽃잎을 채색해 주고, 그런 후에 안쪽 부분에 섞은 색을 톡톡 찍어 부드럽게 번지게 해주세요.
같은 방법으로 나머지 꽃잎을 진행합니다.

color pallet

804 807 810 835 828 852 848

#상큼한 시작

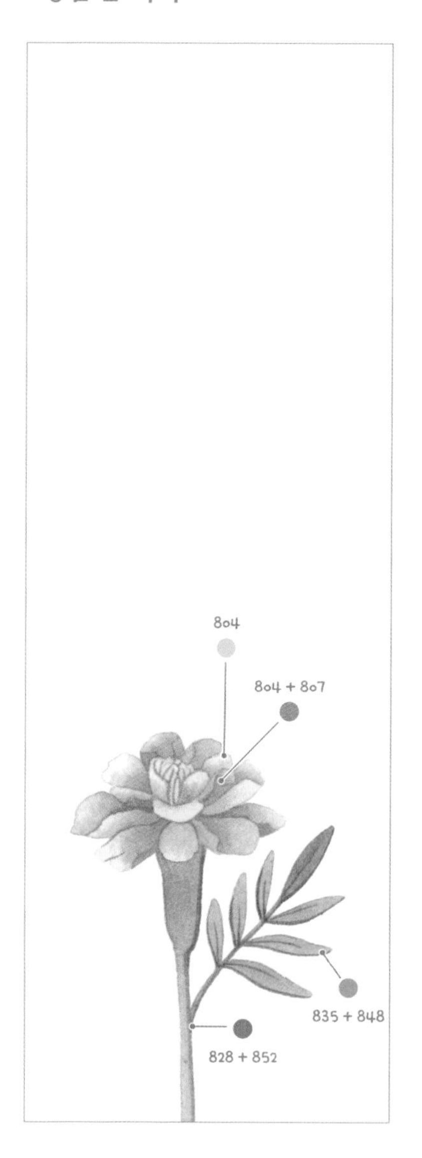

#무대 위 디바

#오후의 티타임

#메리골드 샤워

7

그대를 믿으며 기다리는 아네모네

#차분하고 침착한 기다림의 흰색 아네모네는 조금 힘들게 느껴질 수 있지만, 사실은 다른 꽃들과 그리는 방법이 같아요. 꽃잎의 면적에 물을 칠해 주세요. 보통 물을 칠할 때 스케치 선에서 안쪽으로 살짝 들어가게 칠해 줘야 하지만 흰색 꽃잎은 그대로 화지 부분이 색이 되기 때문에 전체적으로 칠해 줍니다. 그런 후에 검은색[●860]에 물을 아주 많이 섞어서 회색을 만들어 꽃잎의 끝부분에 톡톡 번지게(14쪽 참고) 펴 발라 주세요. 꽃잎이 전부 마른 후에 만들어 놓은 회색으로 꽃잎의 결과 꽃잎 사이의 명암을 표현해 줍니다.

color pallet

873

817

810

807

835

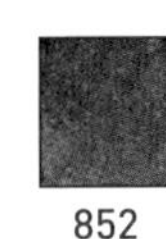
852

860

#깊고 진하게 남은 향기

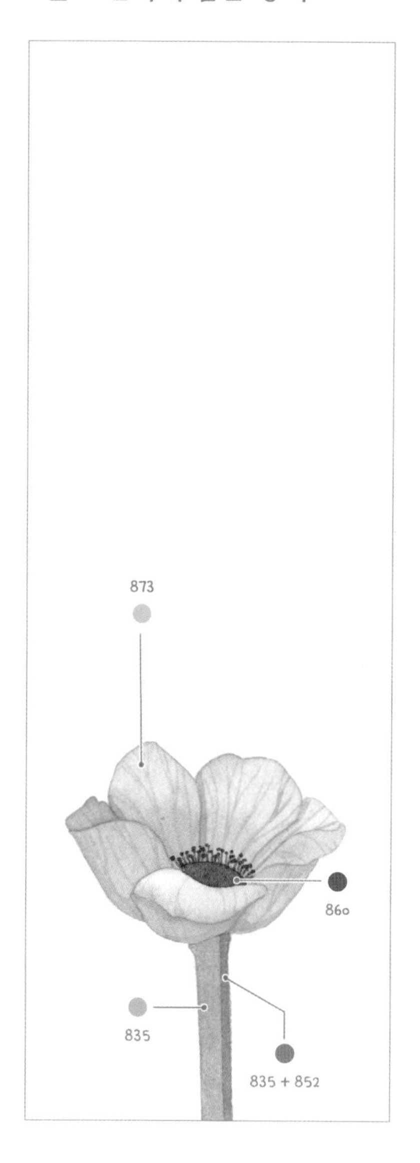

#어른의 이별

#차분하고 침착한 기다림

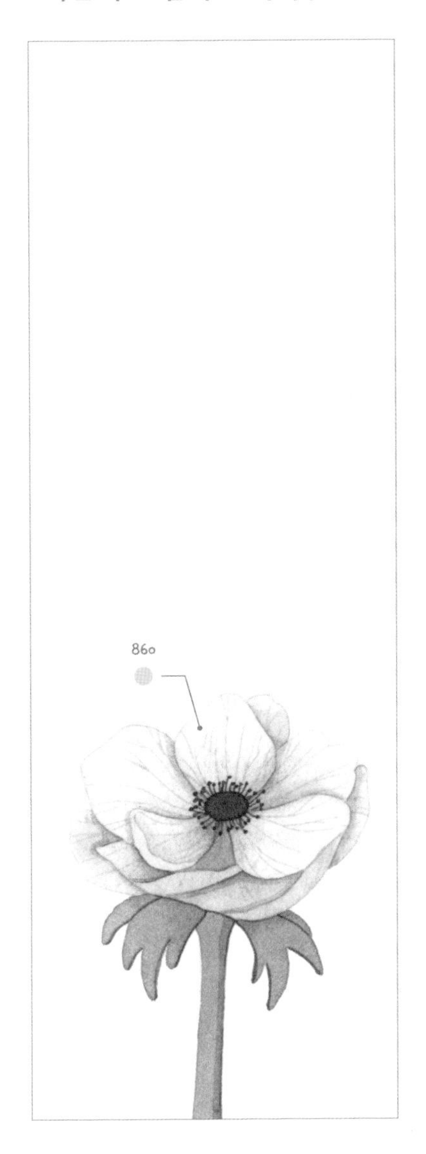

#사그라든 온도

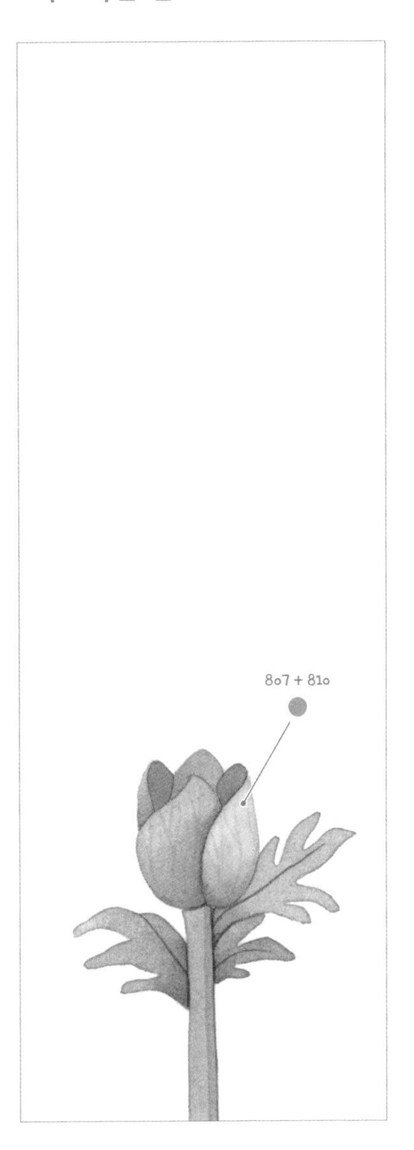

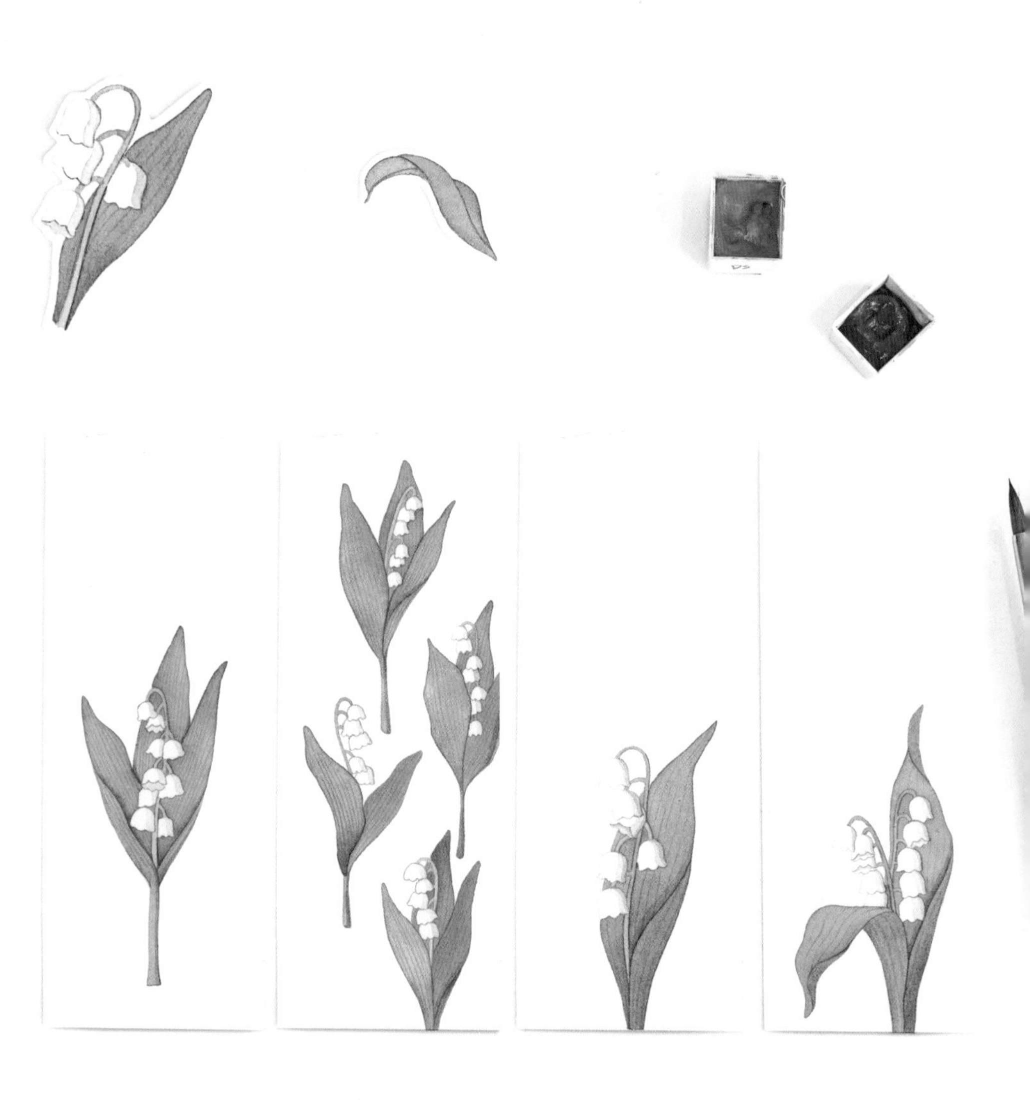

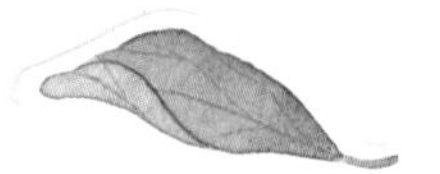

8

순백의 종소리 은방울꽃

맑고 청명한 종소리가 들릴 것 같은 작은 종들이 모여있는 은방울꽃은 흰색이어서 표현하기 어려울 수 있어요. 하지만 은방울꽃의 뒤쪽으로 초록 잎을 놓아두면 흰색 꽃이 도드라져 보여서 조금 더 쉽게 표현할 수 있어요. 먼저 검은색[●860]에 물을 많이 섞어서 옅은 회색을 만들어 주세요. 이 색으로 흰색 은방울꽃의 명암을 표현합니다. 빛의 반대 방향인 오른쪽과 아래쪽으로 회색의 명암을 칠합니다. 봉오리의 안쪽 부분도 한 번에 전부 채색합니다. 은방울꽃의 잎에 먼저 물 칠을 해주고, 연한 녹색[●835]을 한 겹 채색해 주세요. 잎이 전부 같은 색이 되면 그림이 단조롭게 보이므로 잎마다 연한 녹색[●835], 혹은 연한 녹색[●835]에 진한 녹색[●828]을 섞어준 색으로 조금씩 변화를 주며 채색해 주세요. 그런 후에 물감이 전부 마르기 전에 잎이 안쪽으로 들어가는 부분에 진한 녹색[●828]에 검은색[●860]을 아주 조금 섞은 색을 톡톡하고 찍어주세요. 그러면 잎에서도 어두운 부분이 생겨 조금 더 입체적으로 표현돼요.

color pallet

835

828

860

#청아한 노랫소리

Tip .

잎의 색은 모두 다를 수 있어요. 다양한 비율의 조색으로 나만의 잎 색을 만들어 보세요.

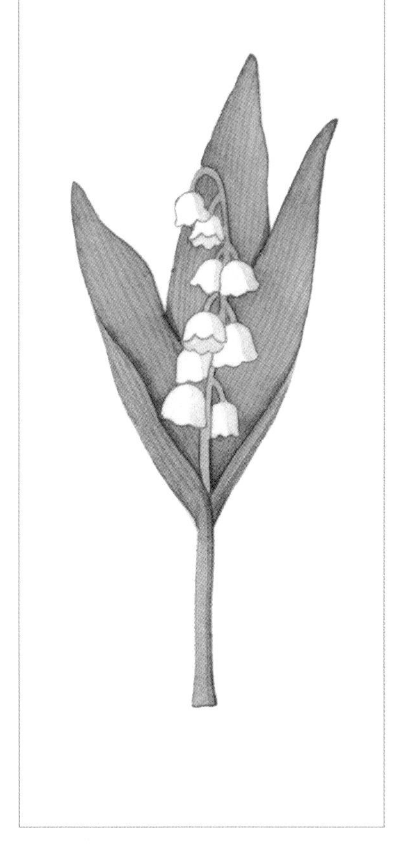

#아침을 깨우는 교향곡

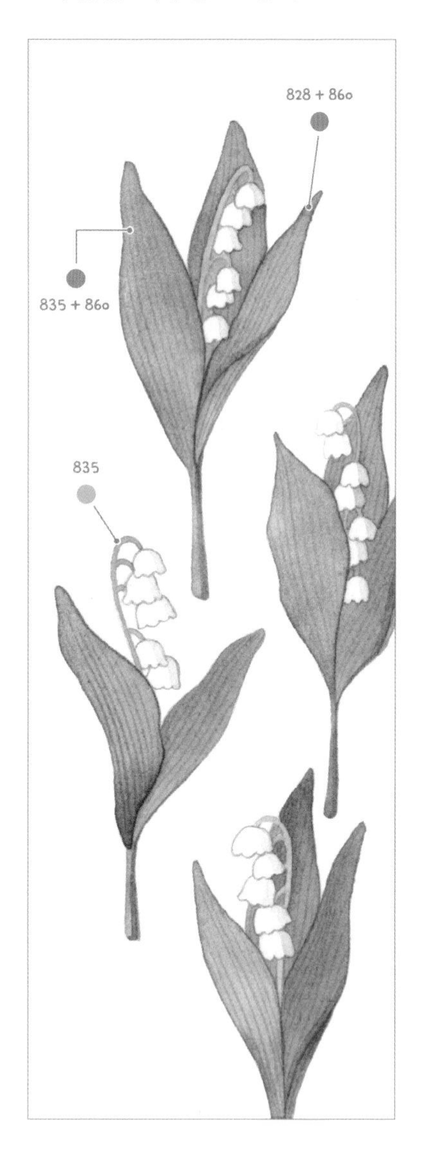

#살랑이는 순수

Tip .

은방울꽃의 테두리는 이미 연필로 표현이 되어있지만, 혹시 조금 더 강조하고 싶으시면, [835]로 가늘게 라인을 따라 한 번 그어 주세요.

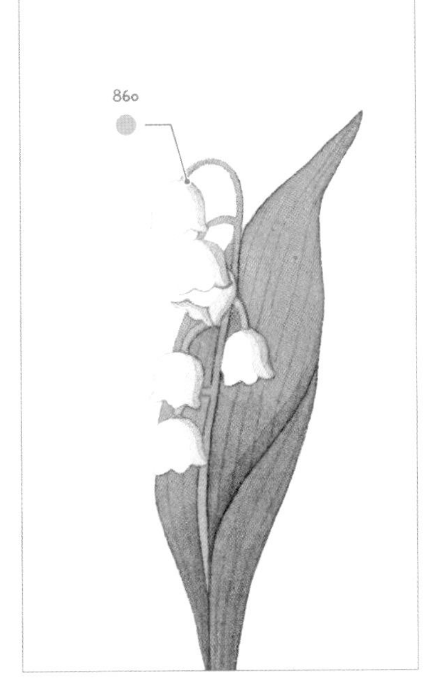

#행복의 바람이 분다

Tip .

잎이 전부 마르면 [828]에 [860]을 섞어준 색으로 잎맥을 그어 주세요.

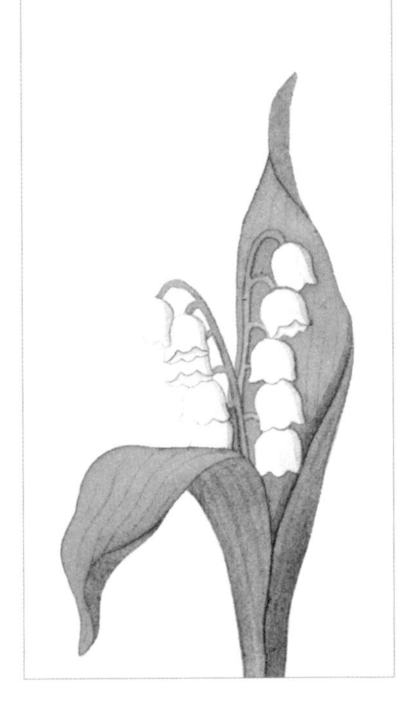

9

봄이 오는 향기 벚꽃

벚꽃 채색에서 가장 중요한 점은 맑은 색의 표현입니다.
맑은 색을 잘 표현해 주어야 예쁨이 뿜어져 나오는 봄의 벚꽃이 되거든요!
분홍색[●873]을 물의 농도에 따라 물을 조금 섞은 짙은 분홍과, 물을 많이
섞은 연한 분홍색 두 가지로 만들어 주세요. 벚꽃 가운데의 꽃술을 피해서
다섯 장의 꽃잎을 한 덩어리로 전부 연한 분홍색을 채색해 주세요.
물감이 바싹 마르면 짙은 분홍색으로 명암을 표현해 주세요. 그런 후에 가장
마지막으로 벚꽃의 잎맥을 그려주세요. 꽃받침은 분홍색[●873]과 빨간색
[●810]을 섞어서 채색하고 명암은 물 양을 줄여서 조금 짙게 표현하면 됩니다.

color pallet

804

873

810

848

852

835

828

#나의 첫사랑

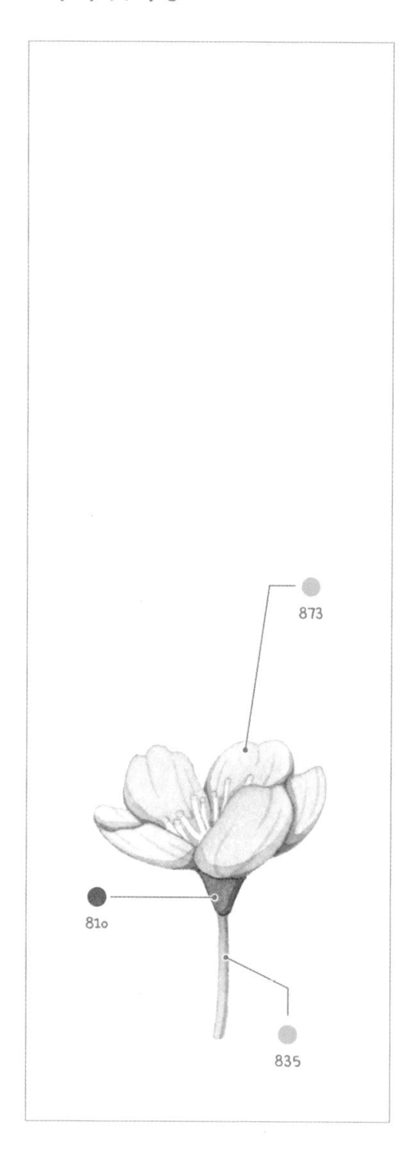

#움트는 설렘

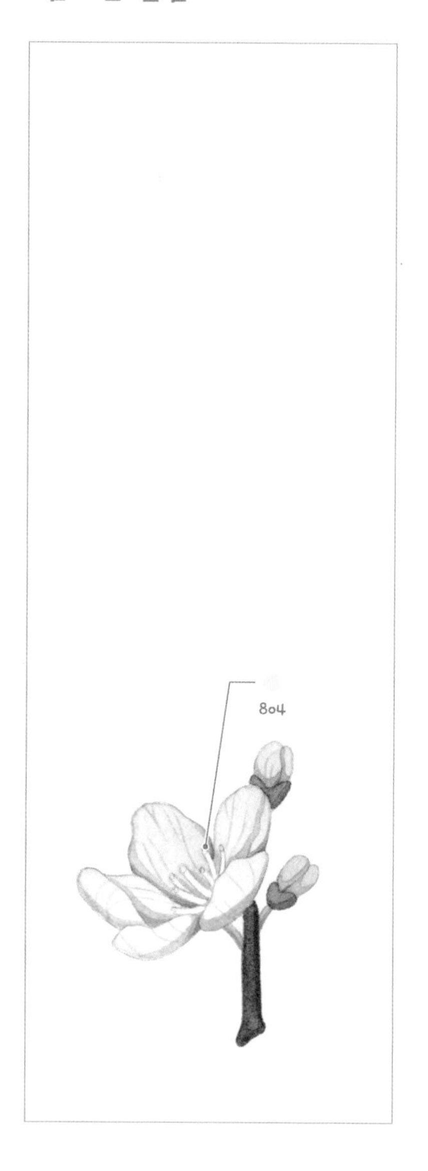

#너는 나의 봄

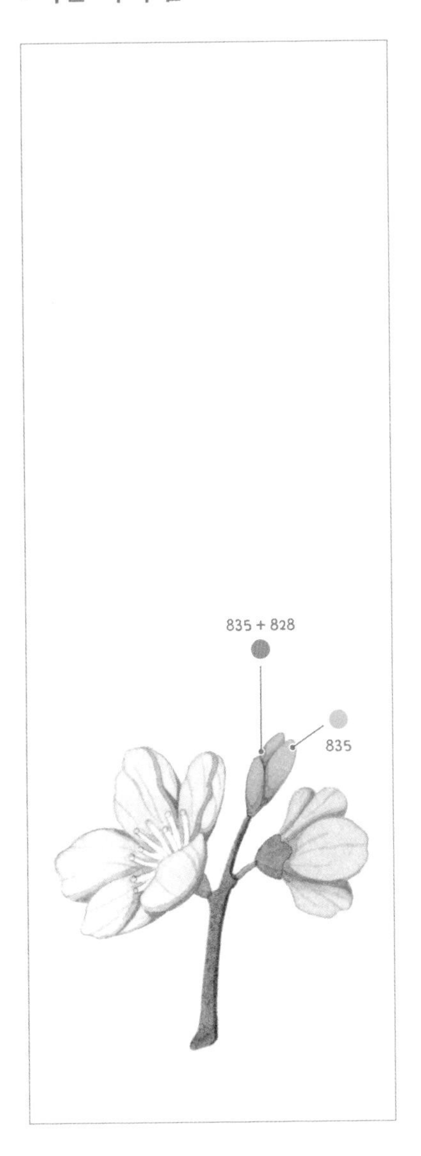

#분홍빛 산책길

2 Silver Black Velvet 3000S

10

코알라에게 양보해
유칼립투스

유칼립투스 세트에는 다양한 초록을 사용해 줄 거예요.

이 세트에서는 다섯 가지 색으로 만들 수 있는 초록을 먼저 만들어 놓고 그려 보는 게 좋아요. 기본이 되는 초록색은 연한 녹색[●835]과 진한 녹색[●828]입니다. 이 기본색을 서로 섞을 수도 있고, 혹은 이 색들에 각각 연한 갈색[●848]과 진한 갈색[●852]을 섞어주세요.

어느 색을 많이 섞느냐에 따라 색이 달라져요.

어둡고 진한 색을 그리고 싶으면 진한 갈색[●852]을 섞어주세요.

color pallet

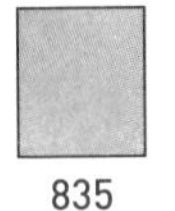

835 828 848 852 860

#숲에서 불어오는 바람

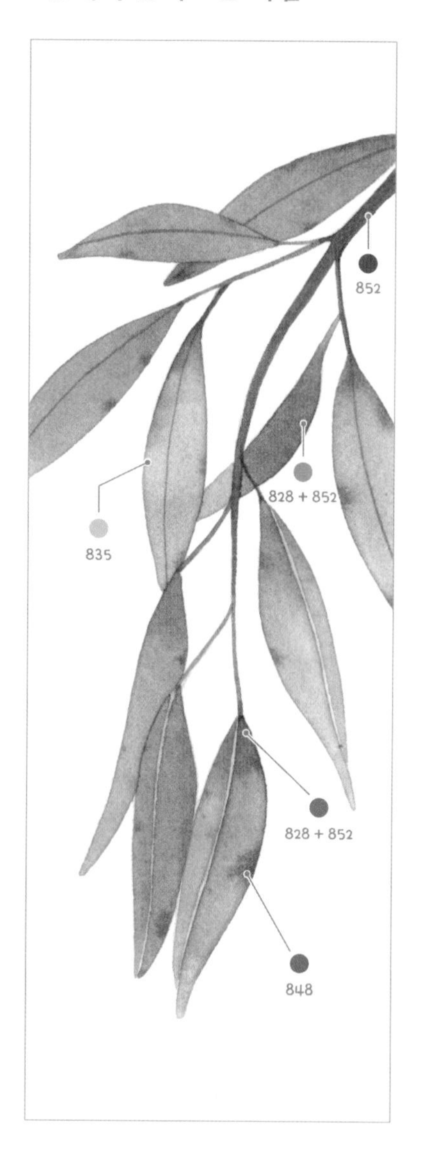

#기특한 성장

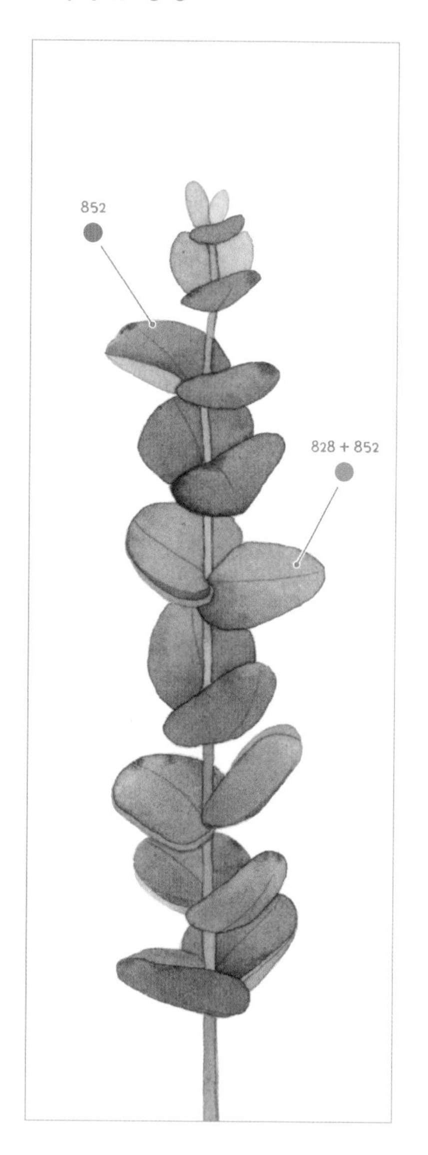

#싱그러운 녹색 그늘 아래

#초록빛 날들

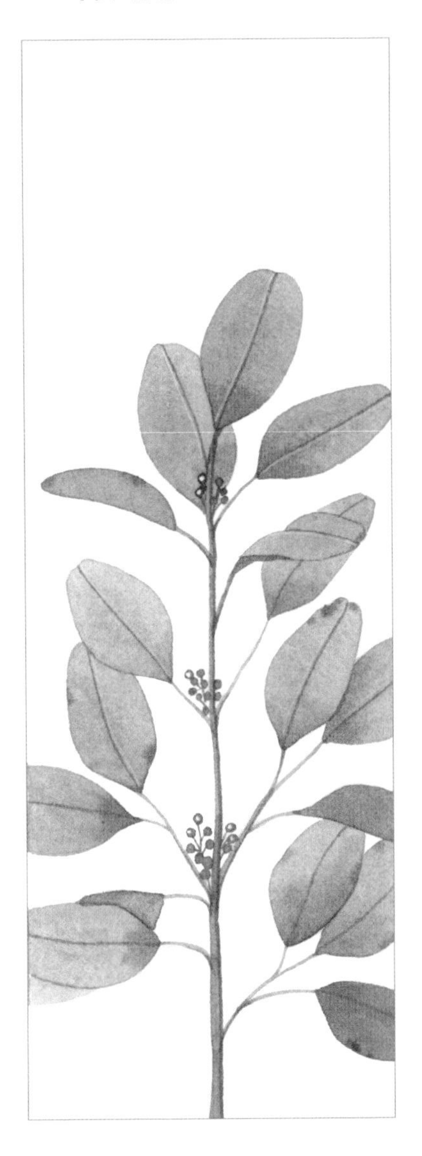

Ds

11

사랑을 고백하는 튤립

귀여운 튤립은 분홍색[●873]을 기본으로 채색할 거예요.
분홍색[●873]을 두 가지로 풀어 주세요. 하나는 물을 많이 섞어서 부드러운
분홍색, 하나는 물을 조금만 섞어서 진한 분홍색을 만들어 주세요.
튤립의 꽃잎을 따로따로 채색할 필요 없이 전부 하나로 칠해 주세요.
그런 후에 채색한 것이 모두 마르면 진한 분홍색으로 명암과 잎맥을
표현해 주세요. 스케치 선이 그림의 일부분이 되어있지만 그것만으로 꽃잎의
경계가 구분되지 않는 것 같으면 분홍색[●873]에 빨간색[●810]을 조금 섞어
만든 더 진한 분홍색으로 꽃잎 사이사이의 스케치 선 부분을
살짝만 따라 그려 주세요.

color pallet

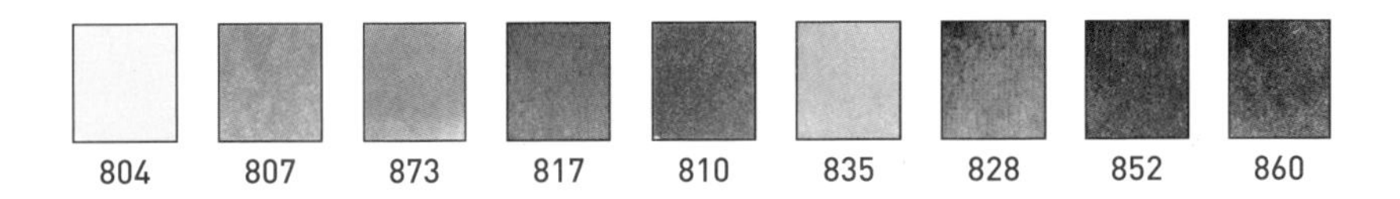

804 807 873 817 810 835 828 852 860

#완벽한 행복

873

873 + 810

835 + 828

835 + 852

#아직 피지 않은 사랑스러움

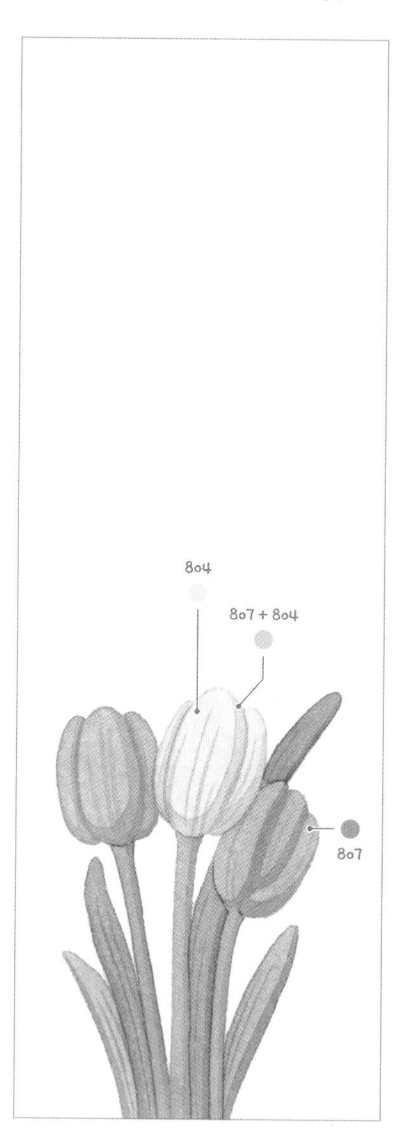

#튤립 왈츠

#꽃비는 내리고

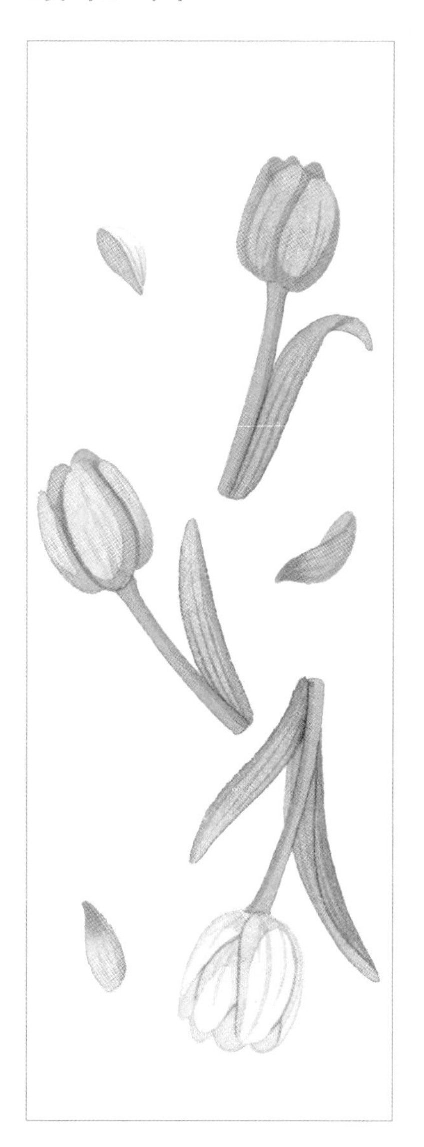

2 Silver Black Velvet 3000S

12

여름의 추억

#얼음가득 달콤 코코넛 주스의 코코넛의 겉껍질을 채색할 때에는
연한 갈색[●848]과 진한 갈색[●852]을 미리 팔레트에 풀어주세요.
연한 갈색[●848]을 겉껍질 부분에 전체적으로 채색하고
마르기 전에 진한 갈색[●852]으로 명암을 표현해 주세요.
마른 후에 진한 갈색[●852]으로 짧은 세로 선을 여러 번 겹쳐 그려서
무늬를 표현해 주세요.

color pallet

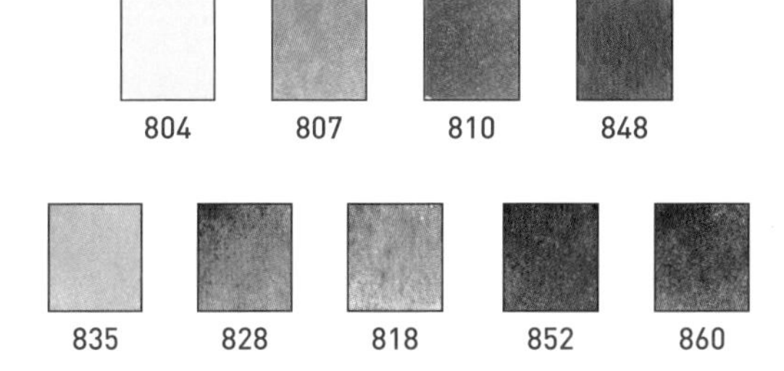

#인사성 바른 앵무새

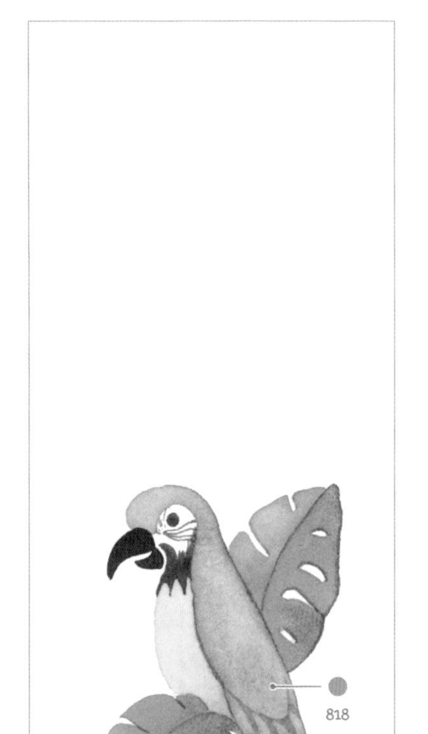

#얼음가득 달콤 코코넛 주스

#남국의 꽃, 푸루메리아

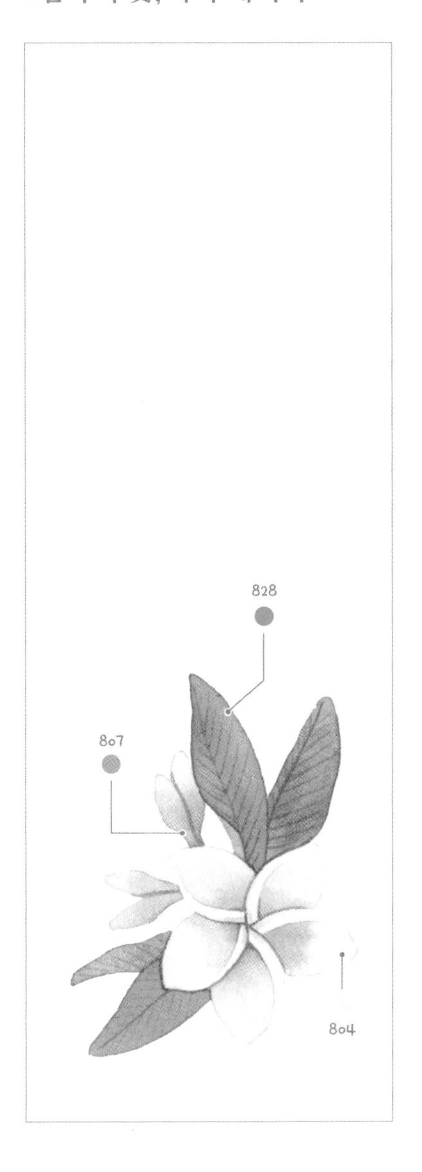

#붉은 정열의 히비스커스

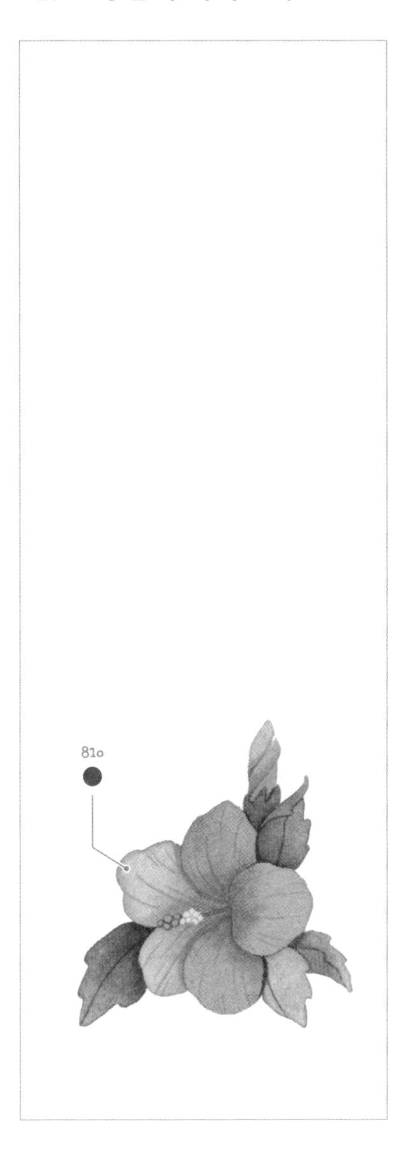

13

낙엽이 지나간 자리 가을

#풍요의 빛바램의 나뭇가지는 색의 변화가 많아요.

마른 듯, 낡은 듯한 잎의 표현을 위해 사용할 기본색은 연한 갈색[●848]과

보라색[●817]입니다. 여기에 보라색[●817]과 검은색[●860]을

살짝 섞어 만든 색을 잎의 군데군데에 찍어서 번지게 해주세요.

변화를 위해 진한 녹색[●828]과 연한 갈색[●848]을 섞어 올리브그린 색을

만들고 그 색을 두어 군데에 찍어 번지게 해주세요.

color pallet

807

810

848

817

818

835

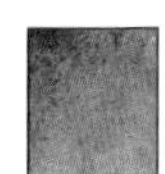
828

852

#나무에 열리는 홍등 꽈리

807 + 810

807

852

848

#바삭한 낙엽 위 가득 도토리

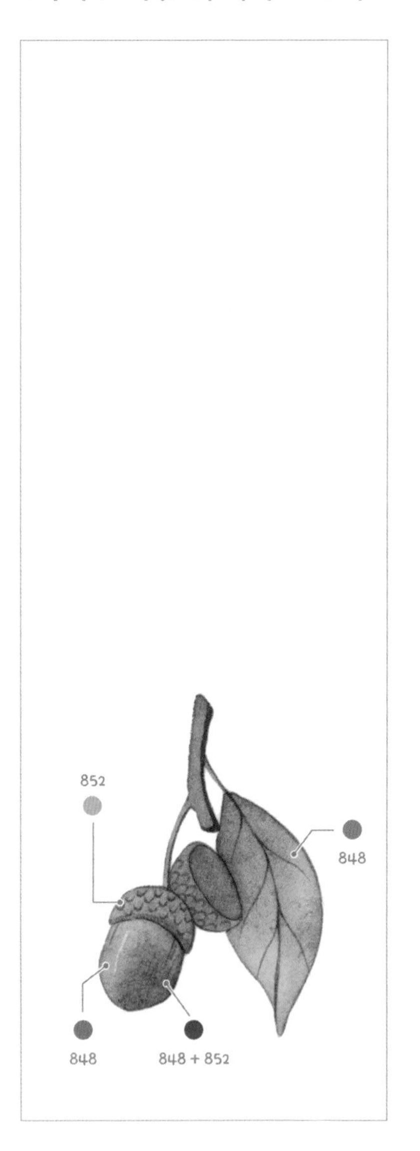

#익어가는 가을의 붉은 열매

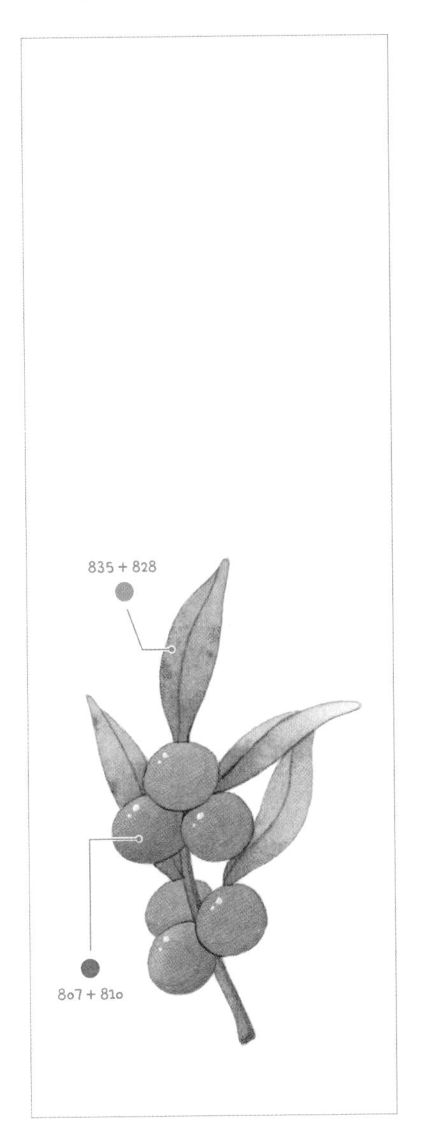

#풍요의 빛 바램

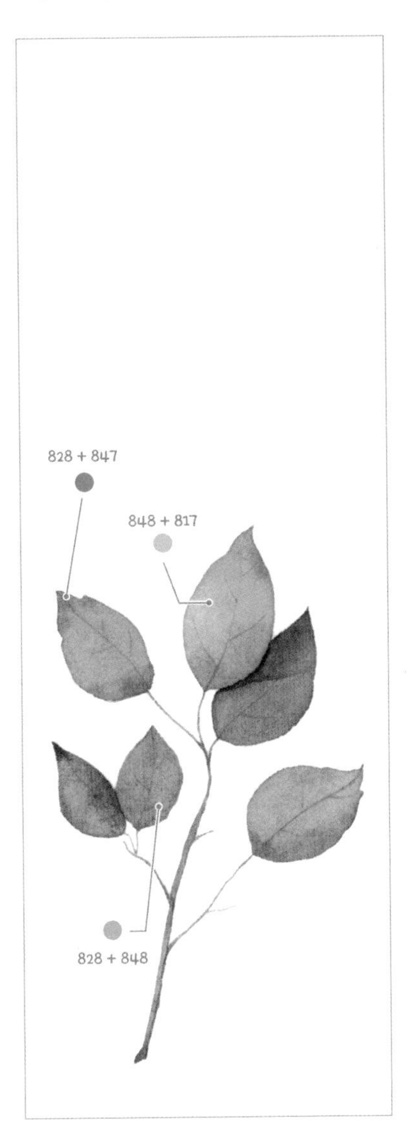

14

크리스마스의 기억

#녹지 않는 눈송이 꽃 목화의 목화는 종이의 흰색이 기본색이기 때문에

흰색 부분을 그대로 남겨 주세요.

그리고 명암이 들어갈 부분에 진한 갈색[●852]에

물을 많이 섞어서 연하게 만든 후 그 색으로 명암 표현만 해주면 됩니다.

color pallet

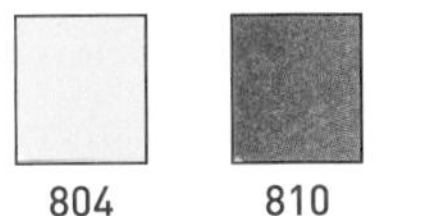

804 810 848 852 835 828

#어둠을 비추는 촛불 하나

804

810

828

835

#기다려온 크리스마스 선물

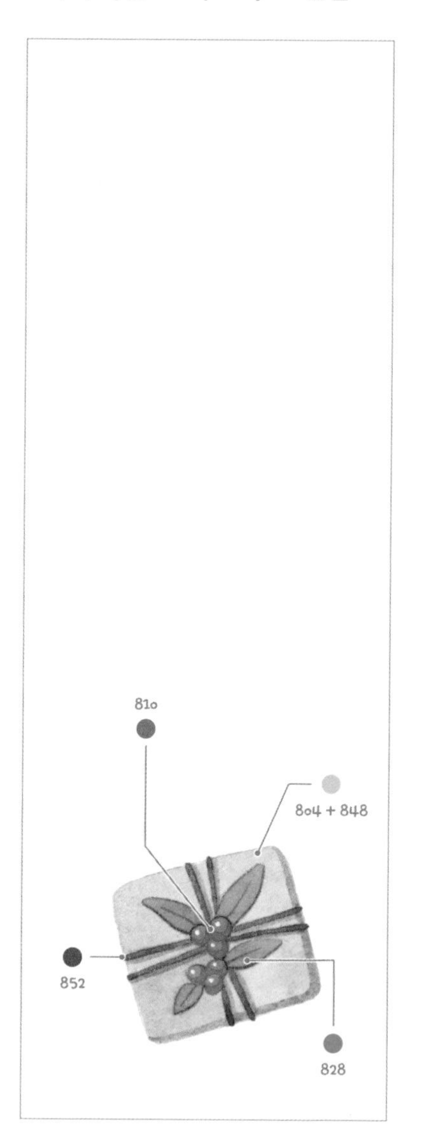

#호랑가시 나무 열매

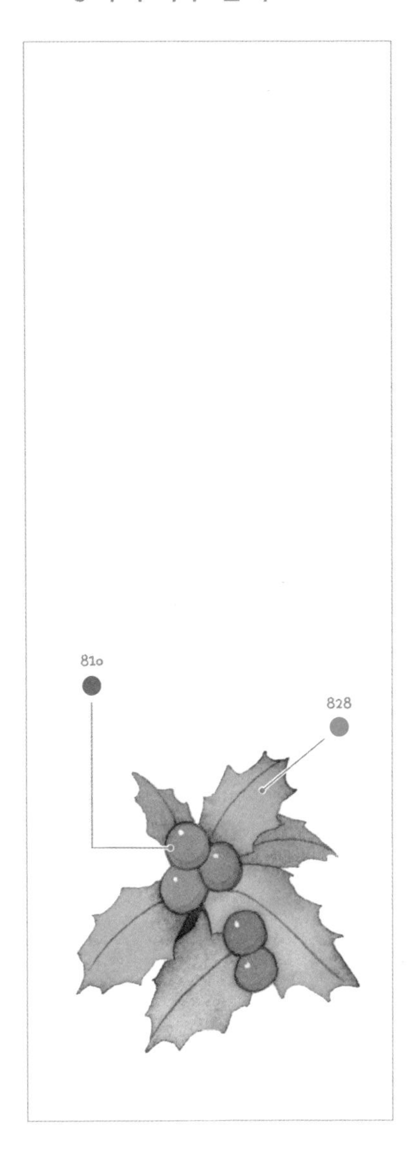

#녹지 않는 눈송이 꽃 목화

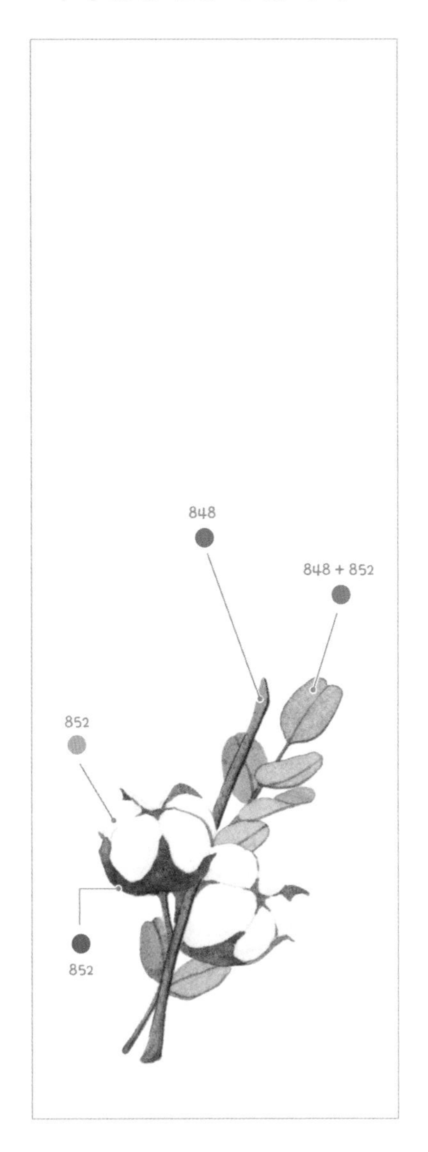

15

사랑이 가득한 꽃과 과일

#초록의 상큼함 라임에서 라임의 기본색은 연한 녹색[●835], 진한 녹색 [●828], 검은색[●860]을 섞은 색을 사용합니다. 그리고 그 혼색에 검은색[●860]을 아주 조금 더 섞은 색이 명암으로 들어갑니다. 라임의 자른 단면 중 과육이 있는 부분은 군데군데 흰색 부분을 남기고 채색해 주세요. 그러면 따로 흰색 처리를 하지 않아도 반짝반짝 빛나는 라임의 과육을 표현할 수 있어요.

color pallet

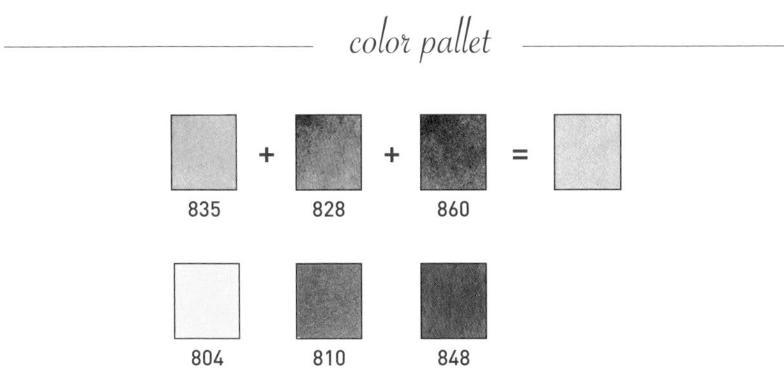

#초록의 상큼함 라임

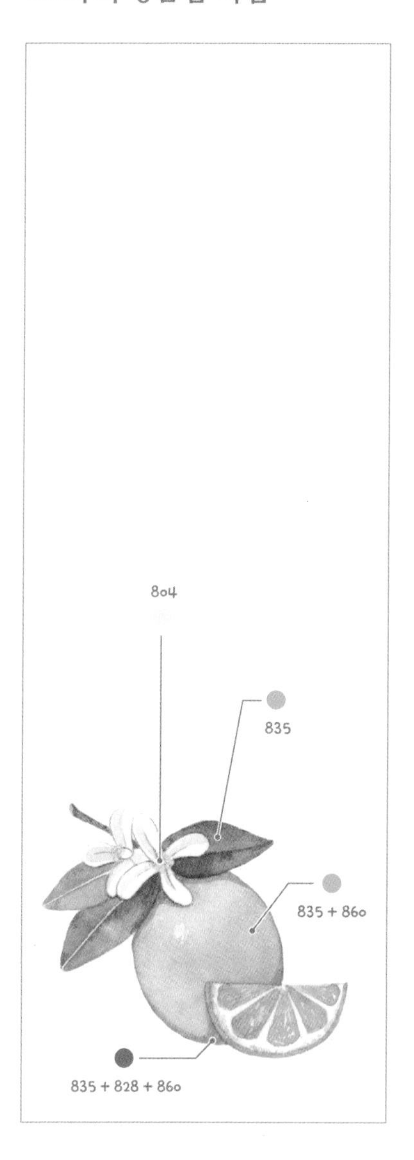

#한 입에 쏙 새콤 딸기

#버터보다 중독적인 아보카도

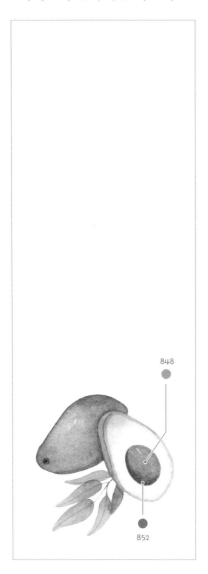

#톡 터지는 꼭지 체리

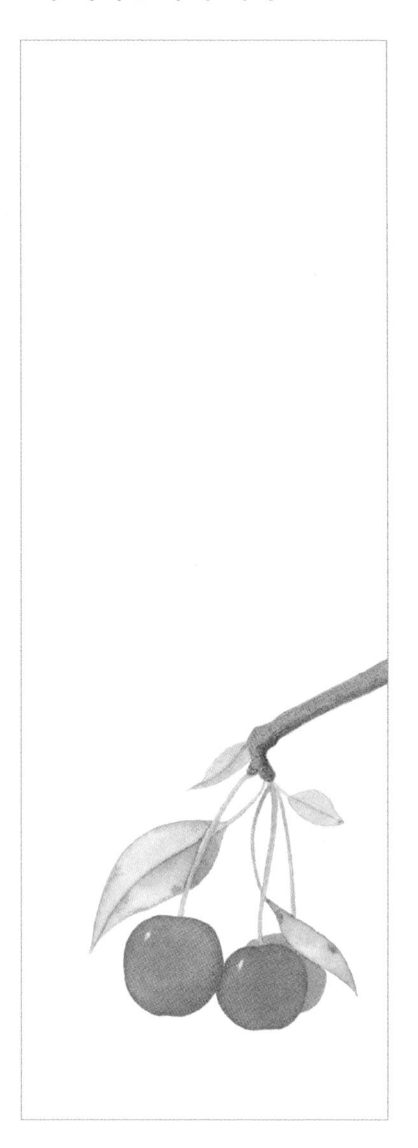

2 HWAHONG x artEJONG 320 KOREA

16

아름다운 색이 담긴 과일

#탐스러운 아삭 사과에서 익어가는 사과는 빨간색[●810]과 연한 녹색[●835]을 섞어가며 그릴 거예요. 먼저 과일의 전체 부분에 얇게 한 겹 물 칠을 해주세요. 윗부분에 연한 녹색[●835]을 약 1/4가량 채색해 주세요. 그리고 반대쪽부터 빨간색[●810]을 채색해서 그러데이션을 만들어 주세요. 두 색을 완전히 만나서 겹치게(14쪽 참고) 채색하지 말고 가운데 마주치는 부분은 붓을 깨끗하게 빨고 나서 물을 흡수한 붓으로 살살 펴서 번지게 해주세요. 이미 물 칠이 되어있어서 부드럽게 번질 거예요.

color pallet

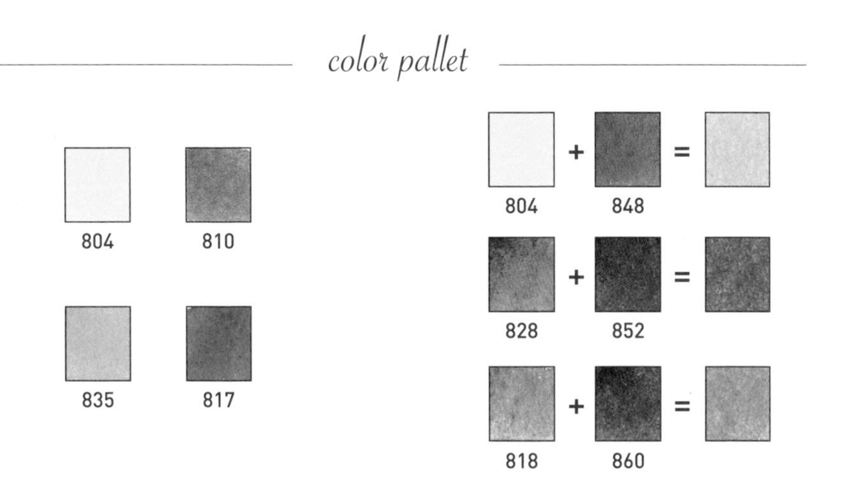

#노란 빛깔 Lemon Tree

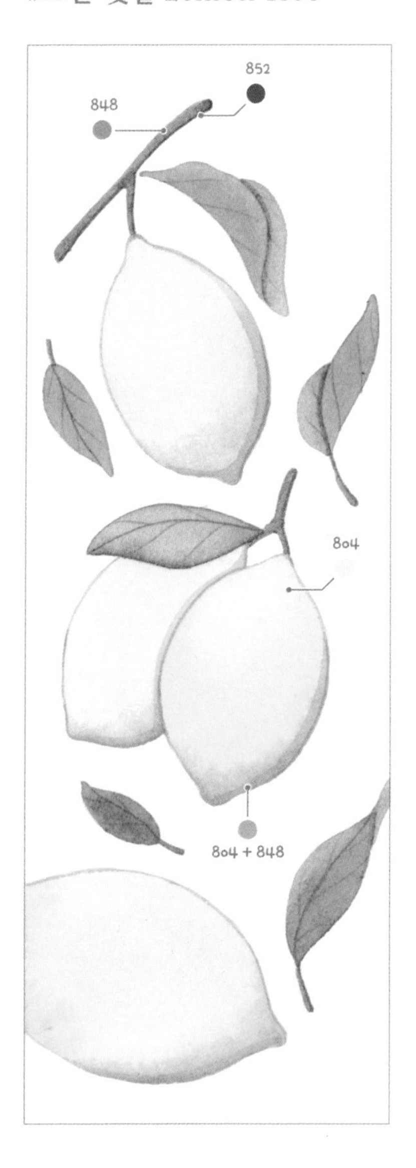

#탐스런 아삭 사과

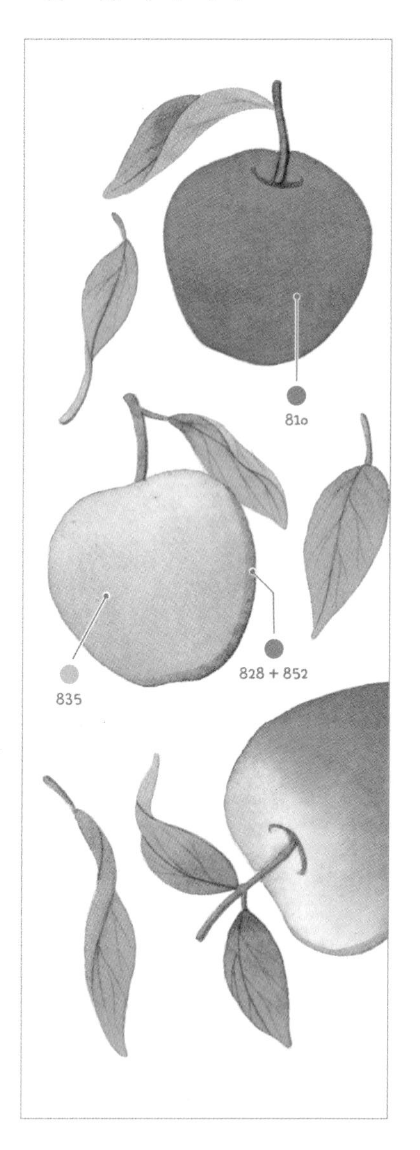

#탱글탱글 빨간 체리

#알알이 새콤 블루베리

그리다세트

작고 예쁜 수채화

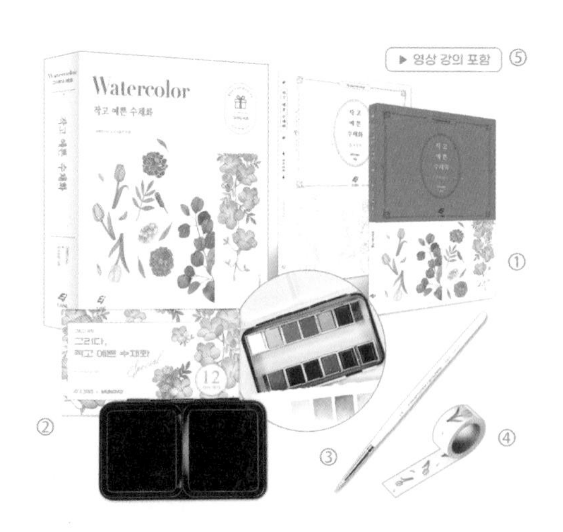

❶ 가이드북 & 컬러링북 세트

(가이드북) 120여 개의 자연물 소재를 5 x 14cm의 책갈피 사이즈의 작은 종이에 수채화를 그리는 법, 팁 등을 쉽고 간단하게 알려줍니다.

(컬러링북) 가이드북 속 그림과 동일한 사이즈의 컬러링 도안이 들어 있어 가이드북의 완성 예시를 보며 바로 채색해볼 수 있습니다.

❷ 12색 셀렉 물감+팔레트

자연물을 채색하는 데 필요한 12색으로 구성한, 이종과 문교가 협업해 제작한 한정판 수채화물감 고체 하프팬 팔레트 세트입니다.

❸ 세필붓 2호

대한민국 대표 붓 브랜드 화홍의 세필붓으로 도서출판 이종과 콜라보레이션한 흰 붓대가 매력적인 한정판 비매품 화이트 에디션제품입니다.

❹ 마스킹 테이프

컬러링북의 도안을 색칠할 때 바로 옆 다른 도안을 침범하지 않도록 마스킹 테이프를 도안 밖 테두리를 따라 붙여놓고 칠해보세요.

❺ 동영상 강의

『작고 예쁜 수채화』 그리다 세트의 구매자 분들에게만 제공되는 비공개 동영상입니다. 5개의 강좌를 볼 수 있는 시크릿코드가 포함되어 있습니다.

처음 만나는

파스텔 빛 과슈 수채화

❶ 가이드북 & 컬러링북 세트

(가이드북) 과슈 컬러링의 기초 설명과 18작품의 기법을 담은 책

(컬러링북) 과슈 컬러링에 적합한 종이 위에 스케치되어 쉽게 채색이 가능한 컬러링 북

❷ 수이 과슈 물감 12색

작가가 직접 제작한 수이 과슈 물감 12색 세트와 도서출판 이종의 특별한 만남.
수이 과슈물감을 더욱 빛내줄 **그리다세트**에서 만날 수 있습니다.

❸ 세필붓 4호(화홍x이종 콜라보)

도서출판 이종의 책+화구 올인원 키트상품 '그리다 세트'에서만 만나볼 수
있는 **한정판 화이트 에디션**입니다.

www.ejong.co.kr